온라인 게임의 신부는
여자아이가 아니라고
생각한 거야?
Lv.5
Kineko shibai
키네코 시바이
ill:Hisasi

CONTENTS

And you thought there is Never a girl online?

ORIGINAL DESIGNED BY AFTERGROW

-인 게임에서 무조건 돈을 버는 방법을 가르쳐드립니다!
루시안
/니시무라 히데키
아코
/타마키 아코
슈바인
/세가와 아카네
애플리코트
/고쇼인 쿄우
고양이공주
/사이토 유이
온라인에서의 아코
-모 지상주의인 클레릭(♀).
-붙을 생각으로 가득한 이 저축액.
-지만, 그럼에도, 루시안과 함께라면
-틸 수 있을……! 터.
-v86 HP/5672 MP/1670
Name Ako
Job Cleric
Sex Female?
Atk/47+90 Mat/150+0
Def/70+24 Mdf/123+18
Gold 834,320
온라인에서의 루시안
방어구 지상주의인 아머 나이트(♂).
수수하게 예전보다 단단해졌습니다.
수수하게 모아서 약간 부자. 착실한 게 좋아.
수수하게, 검소하게, 착실하게 벌겠습니다.
Lv96 HP/20012 MP/724
Name Rusian
Job Armor Knight
Sex Male
Atk/83+229 Mat/35+49
Def/125+250 Mdf/74+5
Gold 2,374,390
온라인에서의 슈바인
화력 지상주의인 소드 댄서(♂).
그날 번 돈은 그날 써버리는 주의.
수수께끼의 대범함을 보이는 이 로리 소녀,
일단 시작하면 크게 나선다……?!
Lv89 HP/12809 MP/463
Name Schwein
Job Sword Dancer
Sex Male?
Atk/141+281 Mat/13+56
Def/71+151 Mdf/39+21
Gold 1,100,700
온라인에서의 애플리코트
과금 지상주의인 마법사(♂).
과금 한도액의 벽이 가로막는다 해도
역시 부자는 부자였습니다.
그걸 밑천으로 부르주아식 대박을 노린다?
Lv96 HP/14622 MP/5946
Name Apricot
Job Law Wizzard
Sex Male?
Atk/73+150 Mat/493+372×1.8
Def/86+278 Mdf/262+30
Gold 425,127,300
온라인에서의 고양이공주 님
아이돌 같은 존재인 카디널(♀).
왕국민의 비원을 이루기 위해,
여신 역시 전선(戰線)에 몸을 던진다……!
뭐, 베테랑 게이머에겐 흔히 있는 일이므로
의외로 홀가분한 느낌입니다.
Lv93 HP/18910 MP/2071
Name Nekohime
Job Cardinal
Sex Female?
Atk/42+93 Mat/190+223
Def/93+67 Mdf/153+25
Gold 189,842,000

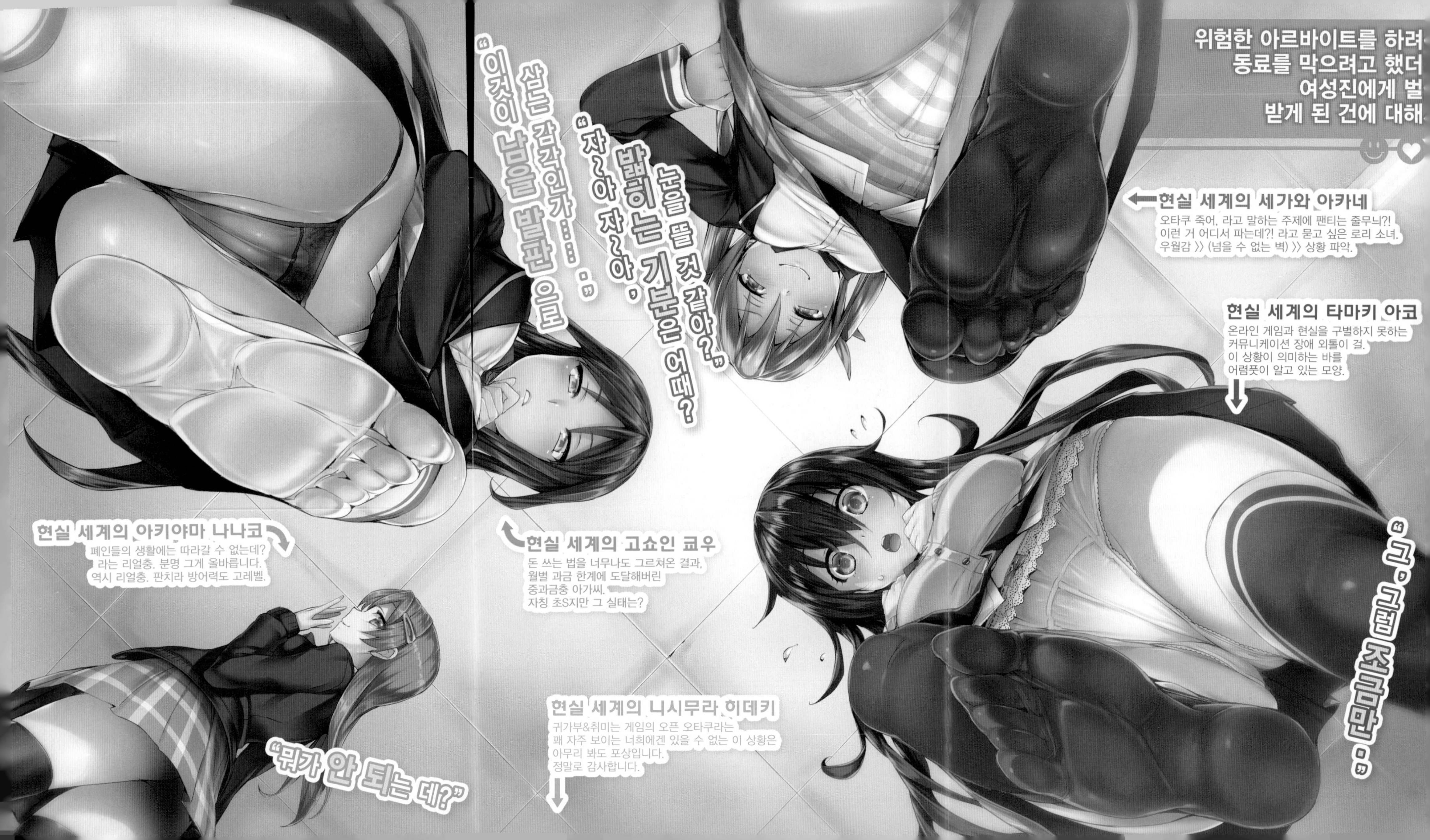
위험한 아르바이트를 하려
동료를 막으려고 했더
여성진에게 벌
받게 된 건에 대해
현실 세계의 세가와 아카네
오타쿠 죽어, 라고 말하는 주제에 팬티는 줄무늬?!
이런 거 어디서 파는데?! 라고 묻고 싶은 로리 소녀.
우월감 〉〉(넘을 수 없는 벽) 〉〉 상황 파악.
현실 세계의 타마키 아코
온라인 게임과 현실을 구별하지 못하는
커뮤니케이션 장애 외톨이 걸.
이 상황이 의미하는 바를
어렴풋이 알고 있는 모양.
"그, 그럼 조금만…"
"자~아 자~아, 밟히는 기분은 어때?
눈을 뜰 것 같아?"
"이것이 남을 발판으로 삼는 감각인가……"
현실 세계의 아키야마 나나코
폐인들의 생활에는 따라갈 수 없는데?
라는 리얼충. 분명 그게 올바릅니다.
역시 리얼충. 판치라 방어력도 고레벨.
현실 세계의 고쇼인 쿄우
돈 쓰는 법을 너무나도 그르쳐온 결과,
월별 과금 한계에 도달해버린
중과금충 아가씨.
자칭 초S지만 그 실태는?
현실 세계의 니시무라 히데키
귀가부&취미는 게임의 오픈 오타쿠라는
꽤 자주 보이는 너희에게겐 있을 수 없는 이 상황은
아무리 봐도 포상입니다.
정말로 감사합니다.
"뭐가 안 되는데?"

온라인 게임의 신부는 여자아이가 아니라고 생각한 거야?

키네코 시바이 지음
Hisasi 일러스트
이경인 옮김

Lv. 5

프롤로그

로스트 경험치

And you thought there is Never a girl online?

현실과 온라인 게임에서 인격이 변하는 사람이 드물게 있다고 하더라.

집에서는 성격이 다르다거나, 친구와 떨어지면 입을 다문다거나, 그런 거랑 똑같다더라고.

현실에서는 얌전하지만 온라인 게임에서는 공격적인 사람도 있다는 모양이야.

나 자신은 그렇지 않다고 생각하고, 앨리 캣츠의 다른 녀석들도 마찬가지일걸. 슈바인도 저건 저것대로 원래 성격이니까.

하지만 옛날에는 나도 한 가지 정도, 현실과 온라인 게임 사이에 다른 부분이 있었어.

그건 현실의 나는 안전 지향이지만, 온라인 게임의 루시안은 자주 한 방을 노린다는 점이었지.

특히 아직 레벨이 낮았던 무렵에는 그런 경향이 강해서, 이런 일이 있었어.

◆루시안 : 나 말이야. 좋은 사냥법을 발견했어. 토르 신전으로 사냥하러 가지 않을래?

◆이가스 : 어, 그 레벨로 갈 수 있나요?

◆루시안 : 갈 수 있어. 갈 수 있어. 죽어도 사망 페널티보다 버는 게 더 많으니까.

내가 말을 건 사람은 당시 길드 멤버로 — 고양이공주 씨랑 같은 길드였던 시절 — 나보다 조금 레벨이 낮은 힐러였어.

◆이가스 : 저한테는 꽤 힘들 것 같아서 죄송하지만 사양할게요.

◆루시안 : 진짜로? 상관은 없지만, 레벨 차가 더 벌어질 거야?

◆이가스 : 저는 착실하게 할 테니까 괜찮아요.

그렇게 거절당했지.

그때 나는 레벨 70 정도고, 이가스 씨가 65 정도였던가.

……아아, 응. 맞아. 레벨 70에 토르 신전은 꽤 힘들지. 아직 실드 나이트였고, 내 플레이어 스킬도 미묘했으니까 상당히 무리가 있는 사냥이었다고 생각해.

하지만 거절당하고 나니까 고집이 생겨서 말이지. 회복 아이템을 사들이고 토르 신전으로 향했어.

그리고 사냥을 시작했지. 레벨 70인 나한테는 강력한 몬스터들이었지만, 열 마리 쓰러뜨리면 레벨 업에 필요한 경험치를 1퍼센트 쌓을 수 있을 정도로 효율은 좋았어.

◆루시안 : 우왓. 엄청 좋네. 이거 쩌는데. 조금만 더 익숙해지면 데려와 줄게.

◆이가스 : 좋겠네요. 열심히 하세요.

그렇게 자랑한 건 좋았지만, 솔직히 힘들었어.

당연히 가끔 죽었지. 아무리 발버둥 쳐도 죽을 때는 죽어. 그리고 죽으면 사망 페널티를 입지.

아코도 알 거라 생각하지만, 이 게임은 사망 페널티가 꽤 무겁잖아. 한 번 죽으면 레벨 업에 필요한 경험치 1퍼센트가 페널티로 줄어드니까.

열 마리 쓰러뜨리는 동안 한 번이라도 죽으면 경험치가 마이너스가 된다 이거지.

그래서— 뭐, 이렇게 됐어.

◆루시안 : 아아아아악, 또 죽었다! 대체 몇 번째야. 거짓말이지. 스킬 넣었잖아!

◆이가스 : 나무아미타불이네요.

처음에는 집중력이 높았으니까 그나마 이겼는데, 목숨을 건 싸움이라는 건 꽤 지치더라고. 지치다 보니 집중력이 떨어지고, 플레이가 엉성해져서 바로 죽었어.

지쳐서 돌아온 무렵에는 전보다 경험치가 줄어 있었지. 돈도 썼고 시간도 썼어. 그래도 어떻게든 한 방! 을 노리고 도전해서 계속 비슷한 전개를 겪었어.

하지만 전혀 아이템이나 돈을 벌지 못했고, 지치기만 했지.

매일 그러다 보니 조금 진저리가 나더라.

얼마 후에 숨을 돌리려고 이가스 씨한테 말을 걸었어.

◆루시안 : 이가스 씨 있어? 조금 한가하니까 렙업 도와줄

수 있는데.

◆이가스 : 아, 부탁드려도 될까요? 지금 막 레벨 72가 되었어요.

◆루시안 : ……뭐?

따라잡혔더라. 아니, 추월당했어.

거짓말이라고 생각했지. 힐러를 상대로 레벨 업 속도에서 지다니 이게 어떻게 된 거냐고.

그래서 새파래진 상태로 물었어.

◆루시안 : 잠깐, 빠르지 않아? 어떻게 올린 거야?

◆이가스 : 평범하게 효율 좋고 안전한 곳에서 사냥했는데요.

◆루시안 : ……그렇게 해서 빠르게 올라?

◆이가스 : 뭐, 돈도 쌓이고 장비도 좋아지니까요.

그야 그렇지.

이쪽이 머뭇거리는 사이 항상 돈을 벌고 있었으니까.

레벨 차는 점점 좁아지고, 소지금 차이도 벌어지기만 할 뿐이었어.

그동안 건방 떨면서 말한 것도 있었으니까 엄청나게 한심해졌지만, 부끄러움을 무릅쓰고 가르침을 청했어.

◆루시안 : 저기…… 레벨 70의 실드 나이트는 어디서 사냥해야 효율이 좋을까?

◆이가스 : 슬리퍼 선생님이 좋지 않을까요? 돈도 잘 벌리고요.

◆루시안 : ……네. 다녀오겠습니다.

◆이가스 : 같이 가드릴까요?

◆루시안 : 잘 부탁드립니다…….

무난한 사냥은 착실하게 경험치가 늘고, 돈도 쌓이고, 좋기만 했어.

한 방을 노린 사냥은 대체 뭐였나 싶을 정도로 효율이 좋더라.

정말 후회했지. 후회했고말고.

그날 이후로 이가스 씨한테는 고개를 못 들겠더라. 그 사람처럼 매일 착실하게 노력해서 경험치도, 돈도, 아이템도, 플레이어 스킬도, 확실히 올려가자고 결심했어.

내 젊은 시절의 실패담이란 녀석이네. 응.

◆아코 : 다시 말해, 그 이가스 씨가 원인이 되어 저는 쩔을 받을 수 없다는 건가요?

◆루시안 : 원인이라니 무슨 소리야. 덕분이라고 말해.

◆아코 : 저는 플레이어 스킬은 상관없이 그냥 레벨을 올리고 싶은 타입이라고요!

◆루시안 : 나는 그런 걸 용납할 수 없는 타입이야.

여러 사람에게 민폐를 끼치고 있으니까, 레벨에 어울리는 플레이어 스킬을 익히라고 하고 있는 거잖아.

그보다 내가 말하고 싶은 건 그런 게 아니라고.

◆루시안 : 중요한 건 착실하게 노력하는 것의 중요성이야. 인생 한 방이라든가, 다음 생에서 기회를 노린다거나, 그런 건 온라인 게임이라고 그다지 좋은 방식은 아니야. 알겠어?

◆아코 : 제 인생에서 가장 안정된 미래는 전업주부라서 이래 봬도 매일 노력을 하고 있는데요.

◆루시안 : 내 호감도를 올리려는 건 노력이라고 할 수 없어! 오히려 매일 진지하게 살아가는 쪽이 훨씬 호감도가 높다고.

◆아코 : 그치만 그치만, 루시안한테 노력해서 돈을 많이 벌라는 소리는 안 할 건데요? 살지 죽을지 모를 아슬아슬한 생활이라도 부부가 함께라면 이겨낼 수 있어요.

◆루시안 : 그렇게 모든 걸 맡겨봐야 나한테 그걸 받아줄 도량은 없어!

필사적으로 싸워나간 문화제가 끝나고, 괴롭기만 한 체육제도 뚫고 나왔지만 내 싸움은 아직 끝나지 않았다. 어떻게든 나의 신부를 평범한 인간으로 되돌려놔야 하기 때문이다.

그런 상황임에도 아코는 이렇게 다시 LA 세계로 돌아가려고 하고 있었다.

◆루시안 : 일단 내일이야. 내일은 반드시 학교로 와. 체육제가 끝난 바로 다음 월요일이라고. 만약 놀아버리면 그대로 질질 끌면서 놀 거잖아?

◆아코 : 그러니까 싫어요오오오오! 애초에 루시안, 지금은 학교 같은 데를 갈 때가 아니잖아요! 좀 더 중요한 게 있

잖아요!

◆루시안 : 그건 알지. 알긴 하는데, 내일은 작전 회의가 있단 말이야. 그래도 쉴 거야?

◆아코 : 작전 회의인가요!

조금 전까지와 완전히 똑같은 학교에 가자는 권유였건만 아코의 말문이 턱 막혔다.

◆아코 : 우우…… 그런 말을 들으면 어쩔 수 없네요. 알겠어요. 노력할게요.

◆루시안 : 좋아. 기다리고 있을게.

마지못해 승낙하는 아코를 보며 나는 겨우 안심해서 고개를 끄덕였다.

부활동을 위해 등교하던 아코가 다시 땡땡이를 치려고 하는 데는 이유가 있다.

주말에 치러진, 우리에게는 지옥과도 같았던 체육제.

그 다음 주에 등교해야 한다는 귀찮음.

그러나 그 이상으로—.

지금 계절은 가을이다. 가을이라고 하면 어떤 계절인가.

문화제의 가을? 체육제의 가을? 그럴 리가 없다.

그것은 온라인 게임에서는 당연하기 그지없는, 여름 방학이 지나서 빠져나간 플레이어들을 다시 끌어들이기 위한, 대형 업데이트의 가을이다.

1장 마이 홈랜드

And you thought there is Never a girl online?

평범한 생활에서 뭔가 하나 빠진 것만으로도 세상은 크게 빛이 바랜다고 한다.

언제나 쓰고 있던 아이템을 하나 잊어버린 것만으로도 사냥이 크게 어려워지듯이.

쓰지 않는다고 생각해서 빌려준 장비가 나중에 필요해지듯이.

당연하게 가까이 있는 것일수록 그 소중함을 깨닫지 못한다.

무너져버린 세상을 보고 겨우 잃어버린 것의 소중함을 깨닫는 것이다.

인간은 그렇게나 어리석은 생물이다.

일상, 당연함, 평범함— 그런 말들에 잠겨 생각을 정지한다.

나는 겨우 그것을 깨달았다.

그러나 깨달았을 때는 이미 늦었다. 왜냐하면 잃어버린 뒤니까.

"아, 밥 밥, 점심밥 먹자."

"오늘은 힘들었어. 완전 배고프네."

"아침 첫 교시부터 체육이었으니까~, 그게 보디 블로처럼 들어가더라고."

점심시간, 남자끼리 대충 모여서 책상을 맞대고 점심밥을 펼쳤다.

그런 아무런 특징 없는 시간 속에서, 나는 새로운 진실을 깨닫고 있었습니다.

내 책상으로 눈을 돌리자, 다른 학생들과는 다르게 아무것도 없었다.

그런 슬픈 현실조차도 사랑스럽게 느껴지는 듯도 하고, 아닌 듯도 하고. 응. 역시 안 느껴진다.

"아아, 세상은 이렇게나 아름답네."

"너 뭔 소리 하냐."

"드디어 니시무라가 정신이 나갔나."

"평소에도 이렇잖아."

"너희들 너무하지 않아?"

진리에 눈을 떴으므로 같은 반 녀석들의 차가운 시선도 신경 쓰이지 않았다.

신경 쓰이지 않는다면 않는 거다.

"……그런데 니시무라, 점심밥은?"

아무것도 놓여 있지 않은 책상을 보면서 묻는 타카사키에게 나는 단호하게 대답했다.

"없어."

"……없어?"

"없다고."

"……그, 그러냐."

내 점심밥은 없어. 아무것도 없어.

태연한 표정을 하고 있긴 하지만, 내심 울 것 같았다.

설마 점심밥이 없는 게 이렇게나 괴로울 줄이야. 점심밥이 있다는 당연한 일상에 너무 익숙해졌다.

포만도가 제로가 되어도 HP가 제로가 될 때까지는 괜찮겠지~ 라는 게 너무 물러터진 생각이었을지도 모른다.

"근데 니시무라. 요즘에는 매점에 갔었잖아. 왜 점심밥이 없는데?"

"돈을 잃어버렸다면 선생님이 빌려주실걸."

"그런 건 아닌데 말이지."

세 번에 한 번 정도의 확률로 드롭되는 아코의 도시락 탓에 요즘의 나는 매점파다.

조금 넉넉하게 받은 점심값에서 최저한의 금액을 남기고 나머지는 아코에게 도시락 예산으로 넘겨주고 있다.

……월급을 건네받는 마누라 같은 얼굴로 받아 드는 아코가 조금 꺼림칙했지만.

그건 제쳐놓고, 아무튼 원래대로라면 점심밥에 굶주릴 일이 없다.

"혹시 도시락 가져오는 신부랑 싸웠냐? 싸웠냐?"

"왜 기뻐하며 묻는 건데. 그런 거 아니야."

아코랑 싸우다니 그런 무서울 일을 저지를 리가 없잖아.

미움받는 게 무섭다기보다는, 아코가 식칼을 들고 집 앞에서 기다리는 쪽이 무섭다.

진짜로 싸울 생각은 도저히 들지 않는다.

"루~시~아~안~."

어이쿠. 양반은 못 되네.

교실 문이 드르륵 열리고, 익숙한 목소리가 들려왔다.

문 너머에서 긴 흑발이 보였고, 그 틈새에서 동그란 눈동자가 나를 보고 있었다.

긴 앞머리에 가려졌어도 조금 놀랄 정도로 귀여운 건 알고 있지만— 그건 이 녀석이 내 신부라서 콩깍지가 씌었기 때문일지도 모른다.

"아아, 아코냐……."

"……도시락, 가져왔어요."

아코는 쓸데없이 기운찬 신부 텐션이 아니라, 조금 어두운 표정으로 말했다.

그 손에는 커다란 알루미늄 도시락통이 있었다.

"뭐야, 신부가 왔잖아."

"뭐가 도시락이 없다는 거야."

"……그렇게 말할 수 있는 건 지금뿐일 텐데?"

"……응?"

의문 부호를 띄우는 우리 반 녀석들을 무시한 채 아코에게서 도시락통을 건네받았다.

크기에 비해 가볍다. 예상대로야.

"연다?"

"……네."

서로 슬픔으로 가득 찬 시선을 나누면서 도시락통을 열었다.

커다란 도시락통 안에 중간 정도의 도시락통이 들어 있었다.

"……으, 으응?"

"뭐야 이거?"

깜짝 놀라는 남자 일동.

아무 말 않고 안에 있던 도시락통을 열었다.

그러자 안에는 더욱 작은 도시락통이 있었다.

"마트료시카냐."

"뭐야 그건."

"그런 게 있어. 러시아에."

도시락통 안에 도시락통. 그런 수공예품 같은 상자를 열어갔다.

그리고 작은 도시락통을 열자, 안에는 너무나도 작은 주먹밥이 하나 들어 있었다.

"죄송해요. 밥솥에 있던 남은 밥으로 어떻게든 주먹밥 하나는 만들었지만…… 그것 말고는 아무것도……."

"괜찮아. 괜찮아 아코. 고마워."

눈물을 흘리는 아코의 손을 잡았다.

"이 주먹밥 하나를 둘이서 반으로 나눠 먹자."

"우우…… 이 주먹밥, 퀘스트 수주 파기를 반복하면 무한히 늘거나 하진 않겠죠?"

"그만둬. 밴 당할걸."

그런 건 수동으로 하더라도 당연히 밴을 먹을 테니까 생각해선 안 된다.

"그러네요…… 죄송해요, 루시안. 점심도 준비하지 못하고……."

"나야말로 미안해. 내가 한심한 탓에—."

"그럴 리가요! 아플 때도 건강할 때도, 풍족할 때도 빈곤할 때도, 라는 부부의 맹세를 했잖아요."

"그런 건 안 했어."

"에에엑?!"

그걸 한 건 게임 속이니까. 현실에선 안 했다고.

"……너희 뭐하냐?"

"빈곤 부부 플레이?"

"플레이라니, 뭐냐. 듣기 안 좋게시리."

우리는 누군가를 흉내 낼 필요도 없는 진정한 빈곤 부부인데. 현실에서는 부부가 아니지만.

"뭐, 우리한테도 이런저런 일이 있거든."

애매하게 얼버무리면서 시선을 돌렸다.

그러자 여자 쪽에서도 비슷한 화제가 전개되고 있었다.

"아카네, 점심은?"

"이거야."

"이, 이거라니……."

눈앞에 둔 물이 든 페트병을 가리킨 세가와가 진지하게 선언했다.

주변 여자들이 굉장히 미묘한 표정을 짓고 있었다.

우리들의 슈바인 님은 이런 때에도 용감했다.

"왜 그래? 아카네. 점심밥 없어?"

"응. 다이어트 하거든."

"다이어트라니…… 어디를 뺄 건데?"

충분할 정도로 가느다란— 아니 작은 세가와를 보며 아키야마가 약간 곤란한 표정을 지었다.

그러나 세가와는 한없이 진지한 표정으로 말했다.

"이래 보여도 배 같은 곳은 말랑말랑하니까, 조금 더 빼야지."

"……아카네는 그런 걸 신경 쓰는 타입이었던가?"

이거 보라며 가느다란 두 팔을 보여주긴 하는데, 저게 말랑말랑하다면 다른 애들은 대체 어떤가 싶을 정도의 살이라고 생각한다.

애초에 세가와는 자기가 인기가 있는지 없는지에 큰 흥미를 보이지 않고, 자기가 귀엽다는 어필을 하는 편도 아니다.

당연히 수상하다는 시선이 쏟아졌지만, 세가와는—.

"나한테도 이런저런 사정이 있다고."

나와 마찬가지로 적당히 넘겨버렸다. 동류냐.

"……흐응."

아키야마는 뭔가를 깨달았다는 듯이 흠흠 끄덕이고는 어째서인지 내 쪽을 바라봤다.

뭔가요. 무서우니까 여기 보지 말아주시겠습니까. 그리고 씨익 웃지도 말아주세요.

어쨌든 세가와도 열심히 노력하고 있다. 나도 열심히 해야지.

오늘 부활동은 중요한 작전 회의다. 그때까지 체력을 온존해두고 싶다.

벽시계를 올려다보자 표시된 시간은 아직 점심.

방과 후까진 아직도 멀었구나.

††† ††† †††

배가 너무 고파서 오히려 포만감을 느끼기 시작할 무렵, 겨우 수업이 끝났다.

종례라는 짜증 나는 시간을 지나서 겨우 부활동 시간이다.

이걸 위해 학교에 왔다고 말해도 과언은 아니다. 오늘에 한해서는 나도 아코한테 잘난 듯이 말을 못 하겠군.

"오, 세가와와 아코는 벌써 왔구나."

"당연하지. 이번만큼은 지나칠 수 없어."

"작전 회의, 니까요!"

내가 부실에 왔을 때 이미 세가와와 아코는 자리에 앉아 있었다.

그리고 비어 있어야 하는 자리에는—.

"야호~! 나나코야!"

"짜증……."

"아코. 진정해. 진정해."

하이텐션의 아키야마가 당연하다는 표정으로 앉아 있었다.

가뜩이나 새카만 아코가 정신적으로도 새카매질 것 같아서 조금 자제해주셨으면 좋겠습니다.

"그보다 나나코. 왜 있는 거야. 안 불렀는데."

"세테를 얕보면 곤란해! 다들 이상해 보였으니까, 뭔가 있다는 건 한눈에 알아봤거든!"

딱히 숨길 생각은 없었으니까, 이 사람이 눈치 못 챌 리가 없지.

"……어느 시점에서 알았는데?"

"너는 숨길 생각이었냐. 세가와……."

이상한 곳에서 얼빠진 녀석이었다.

셋이서 점심을 거르고 굶주리고 있으니까 척 보면 다 알 수 있는데 말이지.

"숨기지 않으면 안 된단 말이야. 위험하니까. 문화제에서 LA 전시를 한 이상 한동안은 조심해야지. 교내에서든 학교밖에서든 언제나 들킬 위험은 있다고!"

"엠블럼을 학교 문장으로 변경한 건 문화제를 하던 몇 시간뿐이었다고. 게다가 가장 작은 성이고, 아무도 안 본다니까."

끝나고 나서 바로 고양이 엠블럼으로 돌려놨으니까 괜찮아 괜찮아.

문화제에서도 전시물을 본 사람은 많지 않았고…….

현대통신전자 유희부는 아코가 오타쿠 서클의 공주를 맡고 있는, 남자만 있는 부활동이라고 생각할걸.

아마, 아마도. 책임은 못 지지만.

바로 그때.

"문화제보다, 저번 주가 체육제였잖아? 그래서 조금 오랜만에 하는 부활동 아니야?"

아키야마는 싱글벙글 웃으며 악의 없이 말했다.

분명 아무렇지도 않은 잡담으로 한 소리겠지.

하지만 터무니없는 소리다. 우리에게는 트라우마를 후벼 파는 거나 마찬가지라고.

체육제, 체육제라고? 당신 지금 체육제라고 한 겁니까?

"아키야마, 너는 엄청나게 섣부른 발언을 했어!"

"드, 듣고 싶지 않아요. 듣고 싶지 않아요!"

"잊어버려. 그런 슬픈 사건은."

나도 아코도 세가와도, 현실에서 눈을 돌리고 아득한 곳으로 시선을 보냈다.

"어, 왜? 체육제 즐겁지 않았어? 끝난 뒤에 선생님이 주스도 사줬는데."

그런 게 아니라.

설마 우리가 체육제에 나가서 새로운 흑역사를 만들지 않을 거라 생각한 건가.

"그럼 이야기해볼까. 그날 체육제에서 일어난 갖가지 비극을. 더는 새로운 희생자를 만들지 않기 위해서라도……."

"그, 그런 사건이 일어났던가?"

"일어났어. 나나코는 깨닫지 못했을지도 모르지만."

"체육제가 끝나고 주말이 끼어 있지 않았다면 다음날 확실하게 학교를 쉬었을 거예요……."

아코가 학교를 땡땡이치고 싶어 하던 가장 큰 이유 중 하나가 이번 체육제였다.

그 정도의 사건이었단 말이지.

"먼저 나에게 일어난 슬픈 사건부터 말해볼까."

나는 무서운 이야기를 꺼내는 기분으로 소리를 죽이고 말하기 시작했다.

"아키야마는 같은 반이니까 알 거라고 생각하지만, 나는 전부터 노리던 줄다리기랑 장대 넘어뜨리기에 나갔어. 어느 쪽도 개인의 노력이 그다지 영향을 주지 않는 경기니까."

"응. 나갔었지. 근데 평범하게 열심히 하지 않았어?"

아키야마가 의아해했다. 그녀의 눈에는 내 비극이 비치지 않았던 것 같다.

"줄다리기는 그냥 평범했어. 문제는 장대 넘어뜨리기였지. 장대 넘어뜨리기는 서로의 진지에 서있는 장대를 넘어뜨리는 경기고, 남자와 남자, 힘과 힘이 부딪치는 경기거든. 그래서 필연적으로 나 같은 녀석은 뒤에서 장대를 지키는 역할이 되지."

"그건 그렇지."

간단히 동의하는 점은 미묘했지만 어쨌든 나는 장대를 지켰다.

"그러면 좀처럼 활약할 차례가 돌아오지 않는단 말이야. 적은 장대에 도착하기 전에 막히고, 이쪽도 장대에 다가가지 못하고, 내가 하는 일은 멍하니 보고 있을 뿐이었다고."

"으, 응."

멍하니 있는 건 좀 이상하지 않나? 라는 말을 삼킨 것처럼 보였기 때문에 나랑 세테 씨도 꽤나 마음이 통한다는 느낌이 들었다.

그건 제쳐놓고.

"그렇게 멍하니 시합 흐름을 보는 사이에 적이 한데 뭉쳐서 몰려왔어."

"어라, 위험하지 않았어?"

"그래. 위험했지. 적이 엄청 와서 이대로 가면 아군이 당할 것 같다, 위험하다고 생각했다고. 멍한 상태에서, 그렇게 생각했단 말이지."

나는 눈물을 꾹 참고는 떨면서 말했다.

"탱커의 임무를 다해야 한다고 생각해서 반사적으로 앞으로 나간 바람에, 적 전체한테 타겟이 되었어."

"에에엑?! 장대 넘어뜨리기잖아? 게임이 아닌데?!"

그치만, 그치만 어쩔 수 없잖아! 멍하니 있던 상황에서 대량의 적이 오면 일단 주의를 끌려고 하게 된단 말이야! 메인 탱커의 직업병이라고!

"그래서 대량의 적한테 둘러싸여 흠씬 두들겨 맞고 즉사했지……."

"장대 넘어뜨리기는 죽거나 하는 경기가 아니지 않아?"

"하지만 경기가 끝난 뒤에는 정말로 흠씬 두들겨 맞았어."

"제가 보건실로 데려갔어요……."

설마 아코의 어깨를 빌리는 날이 올 거라고는 생각도 못 했다고.

"니시무라, 뭔가 당했어……?"

"트라우마가 될 것 같은 것이었어."

적들의 중심으로 루시안을 돌격시키는 걸 주저하게 될지도 모를 수준의 경험이었다.

녀석은 그런 무시무시한 상황을 견뎌낸 거냐. 굉장하잖

아. 내 분신.

“그리고, 그렇게 너덜너덜해진 니시무라한테 마지막 일격을 꽂아 넣은 게 나였는데.”

“그건 무시무시한 사건이었지…….”

“아카네한테도 뭔가 있는 거야……?”

있어. 있는 게 당연하잖아.

세가와도 우리랑 동류니까 말이지.

“저기, 나는 나나코도 아는 대로 물건 빌려오기 경주에 나갔어.”

이번에는 자기 차례라고 판단했는지 세가와도 드문드문 말하기 시작했다.

“아카네가 달렸을 때는 내가 그전 경기를 마치고 돌아올 때였지? 그래서 제대로 보지 못했었는데…….”

“보지 않아서 다행이야.”

세가와는 그렇게 말하며 자조적으로 웃었다.

“모처럼 체육제니까 나름대로 열심히 할까 해서 나도 의욕적이었어. 운만 좋으면 이길 수 있을지도 모르고, 물건 빌려오기 경주는 심부름 퀘스트의 일종이니까 내 특기 분야라고 생각했거든.”

“온라인 게임은 지정된 물건을 가져오는 퀘스트가 많더라.”

“맞아. 엄청 많아. 그게 문제였어.”

세가와는 천천히 자리에서 일어나서 우리에게 등을 돌리고는 말을 이었다.

"준비, 땅 소리와 함께 달려간 나는 세 번째 상자에서 제비를 뽑았어. 제비에 적인 물건을 들고 결승점에 들어가면 되는 건데, 거기에 적혀 있던 건— 1학년 남자의 모자라는 아이템이었어."

"……간단하지 않아? 니시무라 걸 쓰면 되잖아."

"맞아. 나도 그렇게 생각했어."

세가와의 목소리가 후회로 일그러졌다.

"니시무라가 갖고 있던 모자가 퀘스트 대상 아이템이고, 그걸 들고 결승점에 들어가면 클리어할 수 있어. 긴장했던 나는 그것만 생각하고 우리 반 위치로 달려갔어. 그리고 니시무라를 찾아서 그 모자를 본 순간—."

세가와는 빙글 이쪽을 돌아보고는, 휙 하고 나에게 주먹을 들이댔다.

"나는 전력으로 퀘몹을 날려버렸어."

"……퀘몹?"

아마 모르겠지. 그래서 보충 설명에 들어갔다.

"퀘스트 몬스터. 요컨대 나는 세가와한테 날아 차기를 맞았어."

"……왜 그런 짓을 한 건데?"

"그치만 니시무라가 퀘스트 아이템을 갖고 있었단 말이

야! 쓰러뜨리면 드롭될 거라고 생각하게 되잖아!"

"쓰, 쓰러뜨려?!"

아키야마는 눈을 동그랗게 뜨고 나와 세가와를 교대로 바라봤다.

"니시무라를 쓰러뜨리고 모자를 받으려고 생각한 거야?! 게임과 현실은 다른데?!"

나 같은 대사는 말하지 말아줘!

알고 있지만, 알고 있었지만 우리는 또 저질렀다고!

"날아간 니시무라가 모자를 떨어뜨렸으니까, 제대로 드롭은 됐는걸."

"드롭됐다고 할 수 있는 걸까……?"

한 개밖에 갖고 있지 않았으니까 초 레어 아이템의 드롭이었다고.

"다행히 축제 분위기였으니까 웃으며 넘어갔지만, 평소였다면 위험했을걸."

"상대가 네가 아니었더라면 큰일이 벌어졌을 거야. 반성하고 있어."

경기 뒤에 엄청 미안해하며 차를 건네주러 온 세가와를 봐서 날아 차기는 용서해주기로 했다. 이 녀석 가벼우니까 생각보다 아프지도 않았고.

"그리고, 마침 그 후에 시작된 게 제 경기였어요."

"아~, 아코 경기는 봤어. 1500m 달리기였지?"

아코가 움찔 어깨를 떨었다.

놀랍게도 이 녀석은 지옥의 1500m 달리기에 출전했다.

"그래요. 그렇다고요. 가위바위보라는, 중요한 때에 한해서 반드시 지는 망겜을 하게 된 결과 저는 1500m를 달리는 꼴에 처하게 됐다고요!"

게다가 가위바위보에서 5연패를 했다고 한다.

이런 상황에서 운이 나쁜 것이 참으로 아코답다.

"1500m 달리기는 모두 같이 스타트하니까 함께 나란히 섰는데…… 그때 같은 반에서 나온 사람이 그랬어요. 『타마키, 골에 같이 들어가자.』라고……."

"그, 그래서?"

검은 오라가 소용돌이치는 아코를 향해 아키야마가 조심조심 물었다.

아코는 눈을 한껏 부릅뜨고는 전신에서 분노를 뿜어냈다.

"달리기 시작한 지 10초 만에 그 사람은 한참 앞으로 달려나갔다고요! 그 사람만이 아니에요, 모두 저를 두고 성큼성큼 달려갔단 말이에요!"

평범한 고등학생보다 훨씬 운동 부족 상태인 아코다.

단거리 경주는 물론이거니와 장거리 경주는 아예 논외다.

나도 봤지만, 볼 때마다 집단에서 뒤처져서 보는 내가 다 괴로울 정도였다.

"혼자 남게 되었어도 저는 달렸어요. 필사적으로 달렸어요. 어차피 아무도 안 볼 거고, 최하위인 건 우리 반 애들은 다 알고 있을 거고, 아무리 늦어져도 결승점에 들어가면 불평은 하지 않을 거라고 생각했으니까요. 하지만 아니었어요. 제가 너무 느린 바람에, 운동장 트랙을 못 쓰고 경기가 도중에 중지돼서— 다들, 다들 보고 있었어요. 제가 혼자 달리는 걸!"

"그건 심했어. 이미 고문이었다고."

"혼자 비틀비틀 달리는 아코를 전교생이 뚫어져라 보고, 방송부도 『타마키 힘내라, 타마키 힘내라.』라고 마이크로 계속 소리쳐서……."

"응. 그래서 나도 볼 수 있었어……."

그리고 지옥은 그것만으로 끝나지 않았다. 마지막의 마지막에 악몽이 기다리고 있었던 것이다.

"그리고 결승점에 들어간 순간이었어요. 부탁이니까 보지 말라고, 끝났으니까 아무 일도 없었다는 듯이 진행해달라고, 그렇게 바라던 저한테—."

아코는 양손으로 머리를 감싸 쥐고는 키보드에 퍽 머리를 내려치면서 말했다.

"—전교생한테서, 박수가 쏟아졌다고요!"

아코가 완주하자, 어째서인지 전교생이 박수를 보내며 축

하해줬다.

"굉장히 다정하게 환영받았지."

"전원이 응원했으니까."

"제 입장에서는 아무리 생각해도 괴롭힘이었다고요!"

반드시 학교에 오라고 말하지 못했던 건 그 광경이 원인이었다.

정말로 와줘서 다행이다. 등교 거부 상태로 돌아가도 놀랍지 않았다.

"우리 반 애들이 다정하게 받아줘서 그나마……."

"그 광경을 봤으니까."

"학교의 절반을 차지하는 운동 못하는 학생 전원이 네 아군이었어."

자기가 그 처지가 되었다고 생각하면 도저히 아코를 보고 웃을 수 없었다.

그저 가슴이 아플 뿐이었다.

"체육제는 즐겁다고만 생각했는데, 뭔가 큰일이었구나."

"응원 전쟁 한가운데서 춤추던 나나코는 몰라……."

"그건 그것대로 부끄러웠는데?"

아키야마의 포지션도 우리한테는 충분히 지옥이긴 한데 말이지.

"미안하군. 기다리게 했다."

마침 그때, 마스터가 문을 열고 들어왔다.

"……학생회 일이라고 하면서 아무런 경기에도 나가지 않았던 배신자가 왔네."

"치사해요. 부러워요."

"교직원용 텐트에서 앉아만 있었던 주제에……."

"뭐냐. 무슨 일이냐, 너희들."

갑자기 날아온 적대적인 시선에 동요하면서도 마스터는 짝짝 손뼉을 치면서 분위기를 바꿨다.

"무슨 일이 있었는지는 모르겠다만, 오늘은 중요한 날이다. 놀지 말고 자리에 앉도록."

마지못해 내 컴퓨터 앞으로 돌아갔다.

아코의 이마가 조금 빨개진 것이 안타까웠다. 흑역사를 떠올리고 버둥거릴 때는 가끔 다치기도 하니까.

"흠. 세테도 와 있었나."

"역시 오늘은 중요한 회의잖아! 그럼 나도 참가할래!"

"그래도 이번에는 포기하는 편이 좋아. 나나코."

"따돌리는 건 인정할 수 없어요!"

"나도 심술부리는 게 아닌데?"

세가와가 별수 없다는 듯이 내 쪽으로 시선을 돌렸다.

음. 역시 따돌리지 말라는 말을 들으면 나도 곤란하다. 어젯밤에 로그인하지 않았으니까 말을 걸지 못했을 뿐, 이 사람도 어엿한 동료니까.

"딱히 문제는 없겠지. 세테도 참가하도록 해라."

부장이자 길드 마스터인 그녀가 그렇게 말하면 결정이다. 이래 봬도 높은 사람이니까.

“역시 회장님. 말이 통하네!”

“그럼, 그럼.”

아키야마에게 음음 고개를 끄덕인 마스터는 화이트보드 앞으로 걸어갔다.

어딘가 평소와 다른, 긴장된 분위기가 흐르기 시작했다.

“세테에게도 말한 대로, 오늘은 작전 회의를 한다. 이후 앨리 캣츠의 운명을 좌우할 중요한 회의라고 할 수 있겠지.”

“뭔가 두근두근하네.”

아키야마는 해맑게 웃었다.

그렇게 웃을 수 있는 것도 지금뿐이야.

“그 회의가 무엇인가. 말할 것도 없이, 이거다!”

『하우징 시스템 추가.』

마스터가 재빨리 문자를 적고는 탁 두드렸다. 아코가 움찔 어깨를 떨었다.

“드디어 이때가 왔다. 이미 알고 있으리라 생각한다만, 전 LA 플레이어가 기다려온 하우징 시스템의 추가가 발표된 것이다!”

“꽤나 오래 기다렸어.”

“추가 예정만큼은 한참 전부터 나왔으니까.”

“저랑 루시안의 사랑의 둥지가, 마침내……!”

군침을 흘리며 나를 보지 말아줄래? 무서우니까.

"추가는 2주일 후. 오후 다섯 시 점검 종료 후에 토지 관리 NPC, 하우징 NPC가 추가된다. 또한 하우징 콘텐츠나 하우징 상담회 등의 이벤트도 개최되는 흥겨운 업데이트지."

역시 가을 업데이트. 운영진도 기합이 많이 들어갔다.

여름에 늘어난 플레이어를 조금이라도 남겨놓기 위해 힘을 뺄 수 없는 것이리라.

"저기…… 그 하우징이라는 건 뭐야?"

아키야마는 우리의 흐름에 따라오지 못하고 어안이 벙벙한 상태로 말했다.

"공식 공지사항 정도는 체크하라고."

"매일매일 볼 수는 없잖아~."

"그럼 위키나 게시판을 봐."

"게시판이라는 곳도 모르는데?"

안 가르쳐줘도 돼. 게시판 같은 곳을 본다 해도 그냥 성격이 어두워질 뿐이니까.

아무튼, 그 하우징 시스템이 대체 뭔가 하면—.

"하우징 시스템은 그 이름대로 집을 지을 수 있는 시스템이다."

"마을 안이나, 그 근처나, 경치 좋은 곳이라거나…… 어쨌든 빈 토지를 사서 그곳에 플레이어가 집을 짓는 거야."

"집 한 채를 받을 수 있는 거야?"

받는다고 할까, 산다고 할까.

뭐, 그 정도로만 인식해두면 문제는 없다.

어쨌든 게임 속에서 집을 가질 수 있는 거다.

외관부터 고민하고, 내부를 장식해서 자신만의 집을 만든다.

그것이 바로 하우징 시스템이다.

"굉장하네! 정원 딸린 단독 주택? 애완동물 기를 수 있어?"

"비싼 집이라면 정원도 있어. 애완동물은…… 글쎄. 안 되지 않을까?"

"그럼 무땅으로 만족해야 하나."

무땅을 방목하지는 말아줬으면 좋겠다. 지나가는 사람들에게 민폐니까.

"따라서 이번 회의의 의제는 앨리 캣츠의 길드 하우스 건설에 대한 것이다."

"드디어 아지트로 삼고 있던 그 가게를 탈출할 때가 왔나……."

"길었네……."

"저희만의 장소가 생기는 거네요."

숙연하게 지금까지의 추억을 회상했다.

우리가 게임 속에서 모이는 장소는 제도(帝都) 로드스톤의 귀퉁이에 있는 찻집 안이었다.

평범한 NPC 점포로, 언제 사람이 들어올지 알 수 없는 곳이다.

"회의로 한껏 들떠 있는데 모르는 사람이 가게로 들어와서 무심코 전원이 입을 다물어버리는 바람에 왠지 모르게 회의가 끝날 위험도 없어지겠군."

"로그인을 했더니 모르는 사람이 있어서, 이거 누구 서브캐? 라고 생각하며 힐끔힐끔 뭐 하는지 상태를 살필 필요도 없어지겠어."

"모르는 사람이 자리 비움 상태로 계속 앉아 있어서 루시안이랑 둘만 있을 수 없는 괴로움을 맛보지 않아도 되는 거네요."

"교환하기 위해 아이템을 지면에 떨어뜨릴 때 누군가가 주워가지 않을까 걱정할 필요도 없어진다."

지금까지의 괴로운 기억을 떠올리자 눈물이 나올 것 같았다.

친한 사람들만의 장소, 친한 사람들만의 공간이 있다면 여러모로 무척 편해진다. 게임이 좀 더 즐거워진다.

떠들어도 문제없고, 날뛰어도 문제없고, 소리를 내도 문제없고, 공개 채팅도 들리지 않는다.

이 부실보다 훨씬 자유로운 공간이 만들어지는 것이다.

이것이 즐겁지 않을 수 있을까?

모든 것을 걸고, 무슨 수를 써서라도 손에 넣고 싶다.

그걸 위한 회의였다.

"집을 지으면 집에서 창고도 열 수 있게 되지?"

"생산 시설을 만들면 집 안에서 생산도 가능하다."

"의상 케이스에 장비 세트를 등록해두면 원 버튼으로 갈아입을 수도 있어요!"

"굉장하다~!"

꿈이 흘러넘치는 마이 홈에 전원이 눈을 빛냈다.

아니, 꿈이 아냐. 이제부터 우리가 그런 집을 짓는 거야.

"굉장히 재미있을 것 같아! 모두 함께 집을 짓고, 이 방이 내 방! 이런 식으로 셰어 하우스 하는 거지?"

아키야마는 이래 봬도 꽤나 전투 플레이를 좋아하지만, 이런 생산 활동도 좋아하는 모양이었다.

즐거워하면서 양손을 통통 부딪치고 있었다.

"그렇겠지. 나는 길드 마스터로서 최상층의 가장 안쪽 방을 쓰고 싶군."

"나는 1층 출구 근처가 좋아. 역시 편한 게 우선이니까."

"나는 어디든 상관없지만……."

"루시안이랑 같은 방이 좋아요."

"안 좋아."

왜 우리만 부부 같은 방인데. 주변 사람들이 오히려 거북해지잖아.

"나는 정원을 볼 수 있는 방이 좋을 것 같아."

이 사람, 완전히 정원에서 무땅을 기를 생각이군.

"그러고 보니 고양이공주 선생님은 괜찮아?"

세가와가 이 자리에 없는 인물에 대해 물었다.

그러고 보니 그 사람이 안 왔네.

"딱히 상관없지 않나? 애초에 길드 멤버도 아닌데."

"선생님은 고양이공주 친위대에 들어갔으니까요."

"……그건 선생님은 본심이 아니지 않아?"

그건 그냥 츤데레라고. 괜찮아.

"공성전은 현대통신전자 유희부로서의 미션이었지만 이번에는 앨리 캣츠의 꿈이다. 길드 멤버인 세테야 충분한 관계가 있지만, 사이토 교사는 끌어들이지 않는 게 좋겠지."

"동료!"

세테 씨가 어째서인지 V 자 사인을 내밀었다.

공성전에서 길드에 넣어주고 이후에 내보내질 않았으니까. 당연히 길드 멤버다.

"자, 그럼 앨리 캣츠 제군. 여기서 커다란 문제가 있다."

"문제? 문제라니 어떤?"

아직 싱글벙글한 아키야마에게 마스터가 냉철한 시선을 던졌다.

"하우징 시스템은 개인이 게임 속의 토지를 소유한다는 성질상 반드시 숫자에 제한이 생긴다. 인기 많은 토지는 선착순 쟁탈전이 벌어지고, 무엇보다도 초고액의 게임 머니가 필요하지."

"아…… 돈이 필요하구나. 게임인데 묘하게 야박하네."

"그런 쪽은 현실이랑 똑같아. 온라인 게임도 편하지만은 않다니까."

세가와가 모니터를 콕콕 찌르며 쓴웃음을 지었다.

그래도 현실에서 집을 사는 거랑 비교하면 훨씬 편하다고 생각하는데.

"그것만이 아니다. 토지를 사서 집을 지은 후에도 가구를 놓고, 장식을 하고, 편의성을 높이는— 그런 것에도 역시 자금이 필요하다고 한다."

"아무리 모아도 부족할 것 같아요……."

"큰 길드는 그걸 위해 기금을 받고 있는 것 같은데?"

"대규모 길드는 성 같은 집이 필요할 테니까 말이지."

규모가 큰 길드라고 하니 순간적으로 어느 친위대가 뇌리를 스쳤지만, 고양이공주 씨의 정신 안정을 위해 아무 일도 없기만을 빌었다.

"우리는 대규모 길드처럼 거대한 길드 하우스를 지으려는 건 아니다. 장소도 마을 외곽에 있는 찻집 근처의 토지를 노릴 것이다. 4등지(地), 사이즈 M 정도다. 확실하지는 않지만 그나마 현실적인 금액으로 얻을 수 있다고 예상하고 있다."

"필요한 돈의 액수는 아직 모르는 거야?"

"아직 추가되지 않았으니까."

게임 속에 주는 영향을 고려해보면 금액 정도는 빨리 발표할 것 같지만, 지금은 아직 업데이트 예정이 나왔을 뿐이다. 모든 걸 고려해둬야지.

"다른 게임에 추가된 하우징 시스템의 단가나 지금 게임 머니의 공급 과잉을 가미해서, 나는 500M 정도를 예산으로 추정하고 있다."

"뭐, 현실적이긴 하네."

"그걸로 충분할지 어떨지……."

"저는 100M도 모은 적이 없어요."

그건 낭비가 심하기 때문이야. 아코.

"이 부분에서, 이 회의의 본론으로 들어간다."

"어, 여태까지가 본론인 거 아니었어?"

깜짝 놀라 물은 아키야마를 향해 모두의 시선이 모였다.

시선을 받은 그녀는 조금 기뻐하면서 귀엽게 살짝 고개를 갸웃했다.

주목받는 것에 익숙한 사람은 굉장하네. 우리였다면 당황하든가 아래를 보든가 울음을 터뜨렸을걸.

"즐거운 것만 말하다가 끝이라니, 그런 물러터진 회의가 있을 리가 없잖아."

"중요한 건 지금부터예요!"

마스터가 음, 하고 끄덕이고는 화이트보드용 마커를 들었다.

"이 필요 금액 500M이 문제다. 길드 자산에서 낼 수 있으면 좋겠지만, 공교롭게도 저번 공성전에서 모두 써버리고 말았다. 새로 모을 필요가 있다는 거다. 하지만……."

"우리한테도 돈이 없단 말이지."

전원이 문화제를 대비한 대인전 장비를 사기 위해 소지금을 전부 써버렸으니까.

마스터의 자산은 이그물로 사라졌고, 세가와도 화이트 엘릭서를 미친 듯이 마신 바람에 재정 상황이 심각해졌을 거다.

"돈 같은 건 안 모았어요오."

"나도 아직 장비가 다 안 모였고."

지금 컴퓨터를 사지 마라. 시기가 안 좋다, 라는 말이랑 비슷하게 시기가 안 좋다.

아니, 뭐, 이런 건 언제 사더라도 시기가 안 좋다는 말이 나오긴 하지만 말이지.

"그냥 회장님이 현금으로 사는 게 어때?"

"현금이라니, 간단히 말하네……."

"공식 현거래로 500M을 모으려면 터무니없는 과금을 하지 않으면 무리야. 알고는 있어?"

우리가 질린 표정으로 답하자 아키야마는 그건 그렇지만, 이라면서 말을 이었다.

"지금까지 들어온 액수에 비하면 대단치 않은 거 아니야?"

"마스터는 대체 지금까지 얼마나 과금한 건가요?"

"그건 모르는 게 약이다."

웃으며 얼버무리면서도 조금 굳어진 옆모습을 보건대, 말하면 우리가 기겁할 금액인 것은 틀림없어 보였다.

어떤 의미로는 아키야마가 한 말도 사실인지라 반론하기 어렵다.

"……확실히 이번에 한해서는 길드 하우스라는 우리의 꿈이 얽혀 있기에 과금에 제한을 걸 예정은 없다만."

마스터는 이마에 손을 대고는 실패했다실패했다실패했다며 한탄했다.

"저번 공성전에서 너무 질렀거든. 이래 봬도 나는 미성년자다. 한 달 동안 가능한 과금액에는 제한이 있지. 이번 달에 더 이상의 과금은…… 못 한다."

"회장님, 대체 한 달에 얼마씩 과금을 하는 거야?"

"알고 싶다면 LA 공식 과금 페이지를 보면 알 수 있을걸요?"

최저라도 만 단위입니다.

뽑기용 코인을 사는 것만이 아니라 패키지조차도 살 수 없게 되는 액수는 한참 높기 때문에 엄청나게 무시무시한 액수를 들이부었을 것 같았다.

"어쨌든, 이번에는 마스터에게 의지할 수가 없다는 거야. 어쩔 수 없이 우리도 자기 용돈을 투입하기로 작정한 거지."

"우리 점심값도 거기에 들어갔어."

"배고파요……."

"그래서 점심밥을 거른 거야?! 게임을 위해 밥을 굶어?!"

그래. 그것 말고는 없잖아.

그보다 우리가 온라인 게임 말고 대체 뭘 위해 그런 인내심을 발휘할 거라 생각하는 건데!

"점심값 한 끼, 500엔이 있으면 뽑기 한 번은 돌릴 수 있잖아!"

"당첨을 뽑으면 단번에 승자예요!"

돈은 너무나도 중요하다. 온라인 게임을 위해서는!

평소였다면 절대로 하지 않았겠지만 이번에는 달라! 집이라고. 우리 집을 살 수 있단 말이지!

다소의 무리는 내 알 바 아니야!

"하지만 LA의 뽑기는 상당히 가혹하다. 운영진도 현재 상황을 파악하고 있는지 별다른 이벤트도 예정에 들어있지 않다. 일반 뽑기를 돌려본들 크게 돈벌이는 되지 않을 거다."

뽑기에 관해서는 프로급인 마스터의 말이니 틀림없겠지.

현실 돈을 써도 돈을 벌기 힘들 거라는 생각은 하고 있었기 때문에 그것에 대해서는 납득했다.

"그런 이상 어쩔 수 없지. 각자 게임 머니를 벌어줘야겠다. 이런 말은 하고 싶지 않았지만…… 할당량을 정하자."

우리의 몸이 움찔 떨렸다.

긴박감이 넘치는 부실에서 아키야마만이 의아한 표정으로 두리번거리고 있었다.

“필요한 건— 대략 500M. 이 자리에 있는 건 나, 루시안, 슈바인, 아코, 그리고 세테. 각자 업데이트 때까지 100M을 모을 것. 이것을 최저 할당량으로 삼겠다.”

“어쩔 수 없네.”

“100M이라…… 상당한 액수네.”

“루시안과 저의 사랑의 둥지를 위해서 열심히 할게요!”

너, 그 꿈을 양보할 생각이 전혀 없구만.

“잠깐 기다려, 기다려봐!”

순순히 받아들인 우리에 비해 세테 씨가 허둥지둥 일어섰다.

“나, 나도 인원에 들어가는 거야?!”

당연하잖아. 어엿하게 회의에 참석한 동료니까.

의아한 듯이 바라보는 우리를 보며 그녀는 붕붕 고개를 저었다.

“느닷없이 500메가? 가 어느 정도인지는 모르겠지만, 그렇게 필요하다고 해도— 아니 애초에 그거 일본 엔으로 환산하면 어느 정도인데?”

킬로, 메가, 기가, 테라의 화폐 단위는 세 자릿수로 단위가 바뀐다.

온라인 게임에선 굉장히 흔한 셈법이지만 일본식 계산과

는 조금 비틀려 있으니까 익숙하지 않으면 알아보기 힘들지도 모르겠다.

"나나코, 500M이라는 건 현재 화폐 단위로 치면."

세가와가 그렇게 말했기에.

"약, 5억."

내가 이어받았다.

"무리무리무리! 그렇게 못 모아!"

"괜찮아요. 한 명당 할당량은 1억 정도니까요."

아코가 헤헷, 하고 약간 죽은 표정으로 말했다.

솔직히 아코한테도 상당히 부담되는 금액이다.

말할 것도 없이, 나도 꽤나 벅차다.

"1억 엔은 무리라고!"

세테 씨가 붕붕 고개를 저었다.

"하지만 할당량이다."

"할당량이니까."

"할당량이니까요."

"할당량이라는 말로 모든 게 그냥 넘어갈 거라 생각하는 거야?! 뭐야 그게?!"

무슨 소리야. 온라인 게임에서 할당량이라는 말은 무겁다고!

로그인이라는 상호 감시가 진행되는 온라인 게임 사회에서 길드 단위로 레벨 업 할당량이나 상납 할당량이 정해진 경우, 그건 매우 심각한 문제가 된다.

왜냐하면 열심히 하느냐, 하지 않느냐를 한눈에 알아볼 수 있기 때문이다.

마스터가 할당량이라는 말을 꺼내는 순간, 온라인 게임은 엄청나게 힘들어진다 이겁니다.

"말이야 이렇게 했지만."

마스터는 팔짱을 끼고 납득한 표정으로 고개를 끄덕였다.

"세테의 레벨이 낮은 것 또한 사실이다. 현실적으로 생각해서 우리와 동등한 할당량을 부과하는 건 불합리하다고 할 수 있지."

"물리적으로 무리인 게 명백하니까."

"괴롭히는 짓은 안 해요. 괴롭힘은 무서우니까요."

"……네가 말하니까 왠지 무섭네."

괴롭힘은 꼴사납지.

아무리 그래도 우리랑 똑같이 벌라는 소리는 안 해.

"에이 참. 놀라게 하지 말아줘."

아키야마가 안심하면서 다시 앉았다.

그런 그녀에게, 마스터가 여느 때처럼 자신만만한 표정으로 고개를 돌렸다.

"그러니 세테는 가능한 범위 안에서 열심히 해준다면 우리도 불평은 하지 않겠다. 할 수 있는 걸 해주면 된다."

"……구체적으로 말하면?"

아키야마가 어라, 무죄 방면 아니야? 같은 표정을 지었다.
우리는 슬쩍 얼굴을 마주 보며 생각했다.
"일단 지금의 로그인 시간으로는 턱도 없지 않을까?"
"으음, 하루 최저 다섯 시간은 사냥해줘야지."
"다섯?!"
아키야마의 말문이 막혔다.
뭔가 이상한 소리라도 했나?
"왜 놀라는데? 우리는 부활동에서 두 시간, 집에 돌아가서 다섯 시간이라는 상황인데."
"오늘부터는 할당량도 있으니까 훨씬 늘어날 거예요."
아코도 싱글벙글 웃으며 동의했다.
"잠깐 잠깐. 그런 건 물리적으로 무리야!"
그녀가 초조한 표정을 보이다니 꽤 드문 일이다.
왠지 저런 표정을 보는 게 훨씬 친밀감이 드는걸?
"저기, 우리 집 컴퓨터는 거실에 있거든. 다섯 시간이나 계~속 컴퓨터 앞에 앉아 있으면 무슨 일 있나 해서 다들 걱정한단 말이야."
아, 거실 컴퓨터파인가. 그거 큰일이겠네.
"아, 나도 컴퓨터를 물려받기 전까지는 그런 느낌이었어."
"나도 개인 컴퓨터를 사기 전까지는 거실에서 모두의 시선을 받아가며 플레이 했었지……."
그리운 추억이군.

언제까지 컴퓨터 할 거니? 라며 혼났었지.

"그렇지? 그러니까 무리라고!"

"응. 평소 시간이라면 무리겠네."

"돌아가서 바로 하는 건 무리겠군."

우리는 동의했다.

그러나 그대로 이야기는 이어졌다.

"그러니까 나는 아침 일찍 일어나서 했었어."

"엑."

"응응. 나도 그랬어. 네 시 정도에 슬쩍 일어났었어."

"저도 그랬어요! 가족들이 일어나면 저도 막 일어났어요~ 같은 표정으로 속여 넘겼고요."

"어, 진심으로 하는 소리야?"

아키야마가 믿을 수 없는 걸 보는 표정을 하고 있었다.

아니, 자주 있는 일이거든.

가정에 공용 컴퓨터밖에 없는 녀석이 새벽에 일찍 일어나서 몰래 컴퓨터를 하는 건 이미 유명한 이야기라고.

"아무튼 그렇게 됐으니까."

"할당량, 열심히 해."

"기대하고 있으마. 세테."

"같이 열심히 해봐요."

아키야마를 동료라고 인정한 우리가 따스한 시선을 보냈다.

그런 미소가 넘쳐나는 자리에서— 아키야마는 실룩거리는

표정으로 모두의 얼굴을 돌아보고는 벌떡 일어났다.

"미안, 역시 나한테는 무리!"

"잠깐, 나나코?!"

아키야마는 도망쳤다!

아키야마는 사라졌다.

그대로 아키야마는 엄청난 기세로 부실에서 뛰쳐나가고 말았다.

"그러니까 안 오는 편이 낫다고 했는데……."

"왠지 이겼다는 느낌이 들어요."

"아코, 거기서 승리의 포즈를 취하는 건 이상하거든……."

어딜 봐도 이겼다고 할 수는 없었다.

굳이 따지자면 우리가 졌다고 생각한다.

"역시 나나코는 온라인 게이머가 못 되겠네."

"세테에게 의욕만 있다면 입부도 허락해주려고 했다만."

세가와와 마스터는 조금 아쉬워 보였다.

나도 내심 아쉽긴 했다. 아코가 무서워하니까 말은 못 했지만.

"하지만 매일 강제적으로 온라인 게임을 시키면 바로 싫어할 것 같은데."

"……그렇겠지."

세테 씨는 빠져들었던 초반이 지나고 나면 나중에는 하고 싶을 때만 조금씩 하는 타입이다.

초반의 의욕을 기대하고 압력을 걸면 금방 싫어하는, 리얼충 라이트 게이머 중에선 자주 있는 그런 사람.

같이 게임을 시작했는데 도중부터 엄청난 차이가 벌어져서 왠지 이쪽이 잘못한 건가 거북해지는 그거 말이야.

내가 검은 마술사 씨의 길드에 들어가지 않았던 것처럼.

그녀도 현대통신전자 유희부에는 들어오지 않았다. 어쩔 수 없는 일이다.

하지만 그 사람들이 우리를 동료라고 생각해주던 것처럼, 우리도 아키야마를 동료라고 생각하고 있다.

"정원에 인접한 방은 비워두자고."

내가 말하자 모두 함께 끄덕였다.

"그러네. 나나코의 방으로 주자."

"음. 돌아오면 따스하게 환영해줘야겠군."

"무땅의 오두막도 만들어주죠."

떠나는 자는 막을 수 없다. 온라인 게임 은퇴자를 만류할 수는 없는 것이다.

딱히 세테 씨가 은퇴한다는 건 아니지만 말이지.

어찌 됐든, 무사히 할당량이 정해졌다.

목표가 확실해진 이상 움직일 수밖에 없다.

"앞으로는 돈을 벌 뿐이다만…… 또 하나 문제가 있다."

마스터가 화이트보드의 빈 공간에 펜을 끄적였다.

그곳에 적힌 것은 『이름 : 미결정』, 『구조 : 미결정』이라는 글자.

"그래. 길드 하우스의 이름과 디자인이다."

"중요한 일이네요!"

"……그런가? 평범한 집이라면 그냥 그걸로 괜찮지 않아?"

큰 문제라고는 생각하지 않는다는 나에게 세 사람이 차가운 시선을 던졌다.

"뭘 모르네."

"그래요, 루시안! 제일 큰 문제예요!"

"그런가?"

뭐든 상관없잖아. 이름이나 형태 같은 건.

살기 좋고 편리한 구조의 집이라면 아무 상관 없어.

"루시안은 무슨 집을 상상하고 있는 거냐?"

"그야 앨리 캣츠니까. 조금 정원이 넓은 느낌으로 만들고, 길고양이 집합소라든가……."

"글렀네."

슈바인이 단칼에 잘라버렸다.

우와아, 컴퓨터에 『워 머신』 같은 이름을 붙여버린 녀석한테 네이밍 센스를 부정당했어. 엄청나게 쇼크인데.

"아니 아니, 평범하잖아. 이거면 되지 않아?"

"너무 평범해서 재미없다."

마스터까지?!

아코는 어떤가 싶어 시선을 돌려보니—.

"사랑이 부족해요!"

"에에에에에엑?!"

내가 이상한 거야?!

제대로 사랑도 담은 이름이라고 생각하는데?

"그, 그럼 그렇게 말하는 너희들은 뭐라고 붙일 건데!"

슈는 손가락을 척 세웠다.

"그게…… 미소 하우스, 라든가."

"그만둬, 바보."

대머리 아저씨들이 모일 것 같잖아. 그런데서 살 수 있겠냐.

"농담이야 농담. 어디 보자…… 영웅기사 슈바인과 그 부하들의 집, 같은."

"그만둬, 바보."

"리액션이 아까하고 똑같잖아."

그런 집에서 살 수 있겠냐. 당연히 똑같은 반응이 돌아오지.

"마스터는 평범한 이름을 지어줄 거지?"

조심조심 묻자 마스터는 힘차게 입을 열었다.

"마에가사키 성이라고 짓고 성처럼 만들고 싶다."

"센스의 방향이 위험해!"

우리 마을을 너무 사랑하잖아, 마스터! 학생회장한테 그런 책임은 없어!

"……그래서, 참고로 아코는?"

옆에 있던 아코에게 묻자 나의 신부는 나를 똑바로 바라보며 말했다.

"니시무라, 라고—."

"아니, 내 이름이 아니라."

아코한테 성으로 불린다는 엄청 희귀한 상황에 약간 두근두근하지만, 그런 게 아니고.

"아뇨, 문패에 『니시무라』라고 쓰고 싶어요."

"…………."

"그리고, 그 아래에 아코, 라고—."

"그냥 일반 가정이잖아!"

평범한 문패잖아! 판타지는 눈곱만큼도 없는데?!

"애초에 그건 그냥 너희 집이잖아."

"우리는 살기 어려운 길드 하우스가 되겠군……."

"그보다 내 본명 공개는 좀 봐줄래?"

네티켓의 ㄴ 자도 없다만.

대체 왜 온라인 게임에서 본명을 그대로 딴 집을 가져야 하는 건데.

"그럼 적어도 평범한 단독 주택으로 하고, 저랑 루시안의 문패를 걸겠어요!"

"안 된다, 안 돼. 단호하게 거부하겠다."

"아코 넌 왜 우리의 거주를 거부하는 건데."

“부정은 하지 않지만요! 적어도 겉모습만이라도!”

아코조차도 양보하지 않는 탓에 카오스 상태에 빠졌다.

“그냥 길고양이 집합소가 낫지 않아?”

“그것만큼은 아니야.”

“거짓말 마. 가장 낫잖아.”

“슈는 제 의견은 안 된다고 했으면서, 집 이름에 슈바인이라는 자기 이름을 넣었잖아요!”

“나는 제대로 부하라는 걸 붙였잖아. 네 방도 있다고.”

“중간을 따서 마에가사키 성이 좋을 것 같다만.”

“성을 지을 수 있을 정도로 커다란 토지를 살 수 있을 것 같아?”

“그보다 개인 정보가 드러나는 걸 전제로 삼은 집은 그만 둬.”

엄청나게 옥신각신했다.

모두의 센스에 전혀 공통점이 없는 탓에 이야기가 전혀 정리되지 않는다.

“설마 길드 하우스 때문에 이렇게나 옥신각신할 줄이야…….”

“그래서 커다란 문제라고 했잖나.”

확실히 문제가 되어버렸군.

나는 제대로 된 이름이라면 누군가에게 양보해줘도 상관없지만, 전부 제대로 된 이름이 아니란 말이지.

"어떻게 결판낼 건데?"

"으음, 글쎄다……."

마스터는 우리의 얼굴을 돌아보고는 탁 손을 내리쳤다.

"이번 하우징에 필요한 예산은 500M이라고 계산했다. 하지만 물론 이건 예측에 지나지 않지. 막상 추가된 뒤에 100배의 금액이 필요하더라도 이상하진 않아."

"그런 액수는 무리예요."

"인플레를 해결하기 위해서라고 생각하면 충분히 가능하긴 하네."

확실히 부정은 못 하겠군.

몬스터를 사냥하면 돈이 나오고, 드롭되는 아이템을 팔면 역시 돈이 나오는 온라인 게임에서는 게임 전체에서 화폐의 가치가 점점 내려가는 인플레 현상을 피할 수 없다.

그렇다. 게임 속 돈의 총액은 매일매일 엄청난 기세로 늘어나고 있다.

운영진이 토지를 파는 건 게임 속 돈을 대규모로 회수해서 시장을 건전하게 만드는 측면도 있다. 엄청나게 비싼 가격으로 나오더라도 이상하지 않다.

"그러므로 돈이 필요하다. 설령 토지 단가가, 집의 단가가, 가구의 단가가 아무리 고액이더라도 살 수 있을 만큼의 돈이! 최저 할당량 정도로는 부족한 거다!"

우리도 저마다 고개를 끄덕였다.

"그러므로 최대의 공적을 거둔 이에게 이름을 정할 권리를 부여한다는 안은 어떨까!"

끼익끼익 소리를 내며 마스터는 『최대 출자자』라고 적었다.

"우리 중에서 가장 많은 돈을 모아 길드 하우스의 건축에 공헌한 자가 길드 하우스의 소유권을 가진다는 형태다."

"그렇군. 알기 쉽네."

그거라면 다들 납득할 거라며 동의하려고 했는데…….

"기다려주세요!"

이번에는 아코에게서 스톱이 들어왔다.

"불만인가?"

"굳이 따지자면 반대예요."

또 영문 모를 짓을.

"그건 불합리하다고 생각해요. 힐러에다가 화력이 부족한 저한테 승산이 없어요. 평등한 규칙으로 재고해주셨으면 좋겠어요!"

"으음, 그건 그렇군."

"확실히 조금 불리할지도 모르겠네."

힐러라고 해서 딱히 돈을 못 버는 건 아니다. 파티 플레이를 하거나, 퀘스트를 하거나, 여러모로 수단은 있다.

하지만 이른 아침 같은, 사람이 없는 시간을 생각해보면 역시 불리한 면은 있다.

그럼 어떻게 할까 생각하던 와중, 마스터는 나를 가리키며 말했다.

"그렇다면— 좋아. 아코는 루시안에게 붙이도록 하지."

"……응? 나?"

"루시안은 제 건데요?"

나는 내 거야. 멋대로 네 걸로 삼지 말라고.

덤으로 아코를 멋대로 내 아이템에 포함 시키는 것도 좀 사양해줬으면 좋겠습니다.

"그런 게 아니다. 원래 탱커인 루시안도 불리한 셈이니까. 여기서는 아코와 루시안을 페어로 팀을 짜서 그 불리함을 보충한다는 계산이다."

"그렇구나. 아코랑 루시안은 부부로 임한다는 거네. 그거라면 평등할지도."

"두 사람의 집이니까 둘이서 싸우는 것도 자연스럽네요!"

세가와가 처음으로 찬성했다. 아코는 오히려 기뻐 보였다.

어, 아니, 그거 결정된 거야?

"저기, 우리가 이기면 길고양이 집합소로 해도 괜찮다는 거야?"

"아코를 설득한다면야."

뭐야 그 무모한 조건.

과거에도 전혀 성공한 적이 없는데.

"루시안, 저랑 같은 집에 사는 것은 싫나요?"

"큭……."

아코가 가짜라는 게 뻔히 보이는 그렁거리는 눈망울로 올려다봤다.

너 조금 전 하품했잖아. 안 속아.

안 속긴 하지만, 그래도…… 여기선 어쩔 수 없지!

"알았어! 나는 아코랑 함께, 우리 둘의 사랑의 둥지를 짓겠어!"

"루시안!"

"아, 세게 나왔네. 재미있게 됐잖아."

"이걸로 결정됐군."

마스터가 자신만만한 미소를 지으며 선언했다.

"그럼 기한은 업데이트 전날까지 2주일간! 가장 돈을 많이 모은 사람이 우승이다!"

동료를 위해, 동료가 라이벌이 된다.

우리의 싸움이 시작되었다.

††† ††† †††

일단 여기까지 하자면서 해산했다.

그냥 부실에서 온라인 게임을 해도 상관은 없었지만, 회의가 길어진 탓에 시간이 조금 어중간했다. 그래서 지금부터 각자 집에서 돈을 벌 방법을 검토하기로 했다.

"질 수 없겠네요. 루시안."

둘이 나란히 돌아가는 길에서 아코가 그렇게 말하며 나를 올려다봤다.

위를 올려다보면 앞머리가 살짝 옆으로 흘러서 얼굴이 보이기 때문에 두근거리게 된다.

쑥스러움을 얼버무리기 위해 검은 머리를 쓰윽쓰윽 쓰다듬었다.

"그래. 이렇게 됐으니 어쩔 수 없지. 그 녀석들 뜻대로 내버려 둘 바에는 내 취향에 맞춘 마이 하우스를 지어주겠어!"

"두 사람의 사랑의 둥지를 지어요!"

"지금은 너의 의견에 편승해주지. 사랑의 둥지든 뭐든 오라 이거야."

"루시안 멋져요!"

"이쪽은 둘이나 있다고. 질 수야 없지. 열심히 모으자!"

"네! 인생에서 처음으로 열심히 하고 싶다는 생각이 들어요!"

너는 이미 몇 번이나 열심히 한 적 있잖아? 나는 제대로 보고 있다고.

"……하지만, 조금 놀랐어요. 루시안은 현실과 게임은 달라~ 라면서 우리만의 집 같은 건 싫어할 줄 알았거든요."

아코는 놀랐다고 말하는 것치고는 기뻐 보였다.

"현실과 게임은 다르지. 하지만, 그렇기 때문에 게임 속에서 부부 같은 일을 하고 싶은 거라면 딱히 문제없잖아. 나도 바라던 바고."

"그렇군요!"

평소였다면 필사적으로 막았겠지만 이번에 집을 사는 곳은 온라인 게임 속이다.

온라인 게임 속에서 결혼 상대에게 집을 사자는 말을 들었는데 거절한다며 단칼에 잘라버리는 쪽이 오히려 이상하다. 길드 하우스라고 해도 지금부터 주로 쓰게 되는 집이다. 마스터도 슈바인도 자기 멋대로 하고 싶다면 이쪽도 우리 마음대로 해주겠어.

"……그리고, 그편이 나한테도 좋고."

아무리 아코가 현실과 게임을 혼동하고 있다고는 하지만, 내가 게임 속에서는 다정하고, 현실에서는 적당히 잘 대해주는 정도에 그치면 아코도 차이를 느끼지 않을까.

이것도 나름 작전이다. 결코 아코와 나의 집이라는 것에 끌려서 그러는 게 아니다.

그런 나의 마음을 알지 못한 채, 아코는 헤벌쭉 표정을 풀고는 꿈이라도 꾸듯이 하늘을 올려다봤다.

"……저랑 루시안의 집…… 우후후후후……."

일단 길드 집이거든? 알고 있어?

조금 불안해졌다.

"아까 세테 씨도 그랬지만, 정원 딸린 집에서 하얀 개를 기르고 싶어요."

"그야 넓으면 넓을수록 좋기야 하지. 역시 자기 방을 갖고 싶으니까."

최저 다섯 명이 지내야 하는 집이다. 크기는 어느 정도 필요하지.

"저랑 루시안은 같은 방이어도 괜찮잖아요. 부부 침실이에요."

"뭐, 그건 양보할 수도 있어."

꼭 누군가의 방을 줄여야 하는 사태가 벌어질 경우에는 그럴 수밖에 없으니까.

"처음에는 작더라도 점점 사람이 늘어날 테니까요."

"늘어나나?"

우리 길드는 거의 사람이 늘지 않는 친목 길드인데.

"어라, 루시안. 아이는 싫어하는 쪽인가요?"

"…………."

"…………?"

어라? 라며 서로 시선을 마주 봤다.

아, 이 녀석 왠지 말하는 관점이 다른데.

"아코 양. 대체 무슨 이야기를……?"

"아이 방 이야기인데요."

"……게임 이야기지?"

"저랑 루시안의 집 이야기인데요?"

……어, 현실? 그쪽이야?

"물론 루시안 나름이긴 하지만, 아파트에서 살더라도 저는 전혀 상관없어요!"

그걸 지적한 게 아니거든?

나는 제멋대로 장래를 설계하는 위험한 여고생한테 태클을 넣은 거거든?

"루시안이 일에서 돌아오면 에이프런을 입고, 슬리퍼를 짝짝 울리면서, 그야말로 부부! 라는 느낌으로 현관에 맞이하러 나갈 테니까요."

"전업주부가 될 생각밖에 없구만."

"낮에는 온라인 게임을 하면서 기다릴 테니까요."

집안일을 하라고. 조금이라도 좋으니까.

"그래서 루시안한테 이렇게 묻는 거죠. 식사하실래요? 목욕하실래요? 아니면…… 저·부·터?"

"현·실·로 부탁합니다."

"현실은 싫어요!"

"그보다 네 경우는 밥도 안 지었고, 목욕물도 안 데워놓은— 그런 상황이잖아."

"그런 데다 저는 온·라·인·게·임! 이네요!"

"주부조차도 포기하고 있구만!"

요컨대 온라인 게임밖에 안 하고 있잖아.

"그보다 아코, 단독 주택에서 살고 싶어? 일단 온라인 게임을 할 수 있는 공간만 있다면 만족할 거라는 식으로 생각했었는데."

"루시안의 희망이 그렇다면 작은 집도 좋은데요? 둘이서 온라인 게임만 하며 살아가죠!"

그건 아무래도 좋은 거냐.

그리고 아이는 그다지 원하지 않는다고 생각해왔다.

"나는 아이가 생기면 온라인 게임을 못 하니까 필요 없다고 말할 줄 알았거든."

"무슨 소리인가요!"

신기하게도 아코가 눈을 크게 부릅뜨며 나에게 화를 냈다.

"그런 말 안 해요! 루시안의 아이라고요! 몸을 깎아서라도 기를 거예요!"

"그, 그러냐."

진심으로 화를 내고 있었다.

조금 놀랐다.

"응. 이건 내가 잘못 말했네. 미안하다."

순순히 고개를 숙였다.

아코가 그런 점에서는 단호하고 진심인 녀석이라는 걸 잊고 있었다.

이 녀석 나랑 결혼하는 걸 너무 진지하게 받아들이고 있는 거 아닐까.

"나중에 곤란하지 않도록, 이번 하우징에서 저랑 루시안의 공동생활 이미지를 생각해두는 편이 좋겠네요. 그런 것도 확실히 해둬야죠."

"……그, 그런가? 아코도 나 말고 다른 선택지가 나올지도 모르는데."

"그런 건 안 나와요. 죠인죠인루시아안, 수준으로 선택지가 없다고요."

죠인죠인토키이[#1]냐. 선택지가 너무 없잖아.

"그런데 죠인죠인 부분에서 달리 두 명 정도의 선택지가 있는 걸로 보인다만."

"그건 마스터랑 슈예요."

"그 둘은 무시냐."

하지만 이런 바보 같은 대화를 할 수 있는 녀석은 달리 없다.

조금만 더, 적어도 조금만 더 남들만큼 멀쩡해진다면 좋을 것 같은데…….

그걸 위해서는 이번 승부에서 질 수 없겠군.

들리지 않게끔 하아, 하고 한숨을 내쉰 나는 가방을 다시 짊어졌다.

이런 연유로, 평소에는 길드 멤버끼리 모여 사냥을 하거

#1 죠인죠인토키이 격투 게임 북두의 권 ~심판의 쌍창성 권호열전~에서 사기 캐릭터로 이름 높은 토키를 선택하는 상황을 가리키는 단어. 토키는 레버를 두 번 움직여서 선택하므로 그때 나오는 효과음을 뜻한다.

나 이벤트를 하거나 퀘스트를 하거나 하면서 놀던 우리가, 이번에는 완전히 따로따로 행동을 하게 되었다.

라이벌끼리는 많은 대화가 필요 없었고, 무언 길드처럼 되었다.

◆루시안 : 자, 그럼. 어떻게 할까.

◆아코 : 저는 루시안을 따라갈 건데요?

그렇게 전부 떠넘기는 건 곤란해. 아코.

우리들은 우리만 남은 찻집에서 나란히 머리를 맞대고 있었다.

LA는 서비스를 개시한 지 몇 년이 지난 중견 MMO다. 나름대로 인플레도 일어났고, 효율 좋은 돈벌이 수단도 몇 가지 생겨났다.

2주일에 100M— 둘이서 200M은 벅찬 목표로 보이지만 하루 10M 정도 번다고 생각하면 어떻게든 될지도 모른다.

막말로 공성전에서 마스터가 쓰던 이그드라실의 물방울, 그걸 이틀에 두 개씩 주우면 그것만으로도 충분히 모을 수 있다.

실제로는 그렇게 운이 좋을 리 없겠지만.

◆루시안 : 아코에게 희망 사항이 있다면 생각해보겠지만, 아무것도 없다면 나는 착실하게 짭짤한 몬스터를 사냥해서 모으고 싶어.

◆아코 : 매일 몬스터를 사냥해서 돈을 모으는 건가요?

◆루시안 : 맞아. 꾸준한 노력을 이길 수 있는 건 없으니까.

참고로 말하자면, 아직 우리보다 뒤처져 있는 아코의 레벨을 올린다는 측면도 있다.

돈을 목표로 해서 모험을 하고, 덤으로 경험치도 쌓는다는 일석이조의 계획이다.

◆아코 : 둘이서 일해서 집을 산다는 분위기가 정말 좋다고 생각해요. 그걸로 가죠!

◆루시안 : 오케이. 그럼 둘이서 갈 수 있는 가장 효율 좋은 사냥터는…….

◆아코 : 가능하면 솔로라도 갈 수 있는 곳이 좋겠어요. 한가한 시간에는 혼자라도 열심히 할 수 있게요.

◆루시안 : 과거 어느 때보다 의욕이 넘쳐나는걸. 그거라면 여기겠네.

그리운 그 몬스터. 돈을 모을 거라면 여기로, 정석 중의 정석.

그래. 슬리퍼 선생님의 차례다.

찾아온 곳은 준 필드맵.

사막의 황야라는 느낌이 나는 어디에나 있는 맵이지만, 수없이 찾아왔으니까 구조는 기억하고 있다.

말하자면 안뜰이나 마찬가지다.

◆루시안 : 그리고 이 모래 덩어리 같은 몬스터, 슬리퍼 선

생님을 쓰러뜨리는 거야.

나는 드문드문 덮쳐 오는 슬리퍼 모양 몬스터를 검으로 찌르면서 말했다.

◆아코 : 슬리퍼 씨를 쓰러뜨리는 거네요.

◆루시안 : 맞아. 이 녀석 꽤 돈을 많이 떨어뜨리는 데다 약하고 숫자도 많아. 돈을 벌기에는 최고지.

◆아코 : 드롭 아이템은 어떤가요? 레어는 없나요?

◆루시안 : 없어. 일절 없어.

◆아코 : 아무것도 없는 건가요?!

정말로 레어는 아무것도 없다.

일단 드롭 아이템은 있다.

슬리퍼 선생님을 쓰러뜨리면 대지의 결정이라는 NPC 상점에서 팔 수 있는 아이템이 떨어진다.

또한 어스 엘리멘탈이라는 NPC 상점에서 팔 수 있는 아이템이 떨어진다.

그리고 극히 드물게, 구체적으로는 0.02퍼센트 정도의 확률로 슬리퍼 하트라는 엄청난 레어 아이템이 떨어진다.

하지만 그것도 쓰이는 곳이 없어서 얻는 의미가 없다. 그냥 팔아치울 수밖에 없다.

그 대신 많은 돈을 드롭한다. 그런 타입의 몬스터다.

◆아코 : 이걸로 정말 돈을 벌 수 있나요?

◆루시안 : 슬리퍼 선생님을 얕보면 안 돼. 일반 몬스터 중

에서는 최고 효율이라고.

◆아코 : 그렇게 대단한가요!

게다가 경험치도 나름 쌓인다. 이보다 더 좋을 수 없다.

◆루시안 : 하지만 이걸로 마스터나 슈한테 이기리란 보장은 없어. 이러쿵저러쿵해도 우리는 화력이 낮은 2인조니까, 매일 착실하게 노력하자고. 그래도 질 가능성은 있지만…….

◆아코 : 괜찮아요. 결과가 따라오지 않더라도, 루시안과 함께라면야.

◆루시안 : 그, 그러냐.

너는 왜 이런 포지티브 사고를 현실에서 발휘하지 못하는 걸까?

◆루시안 : 그럼 시작할까. 일단 내가 스턴을 넣을 테니까 곧바로 엑스댐을 걸어줘. 그러면 오버드 실드로 쓰러뜨릴게. 엑스댐오버실로 원킬이니까 치고 나면 나는 바로 앞으로 나갈 거야. 아코는 돈을 주우면서 따라오면 돼.

◆아코 : 죄송해요. 한 번만 더 설명해주실래요?

◆루시안 : 어려운 소리 한 거 아니니까 채팅창을 위로 올려서 다시 읽어.

이렇게 부부의 공동 작업이 시작됐다.

◆루시안 : 이거 봐. 엑스댐이 늦으니까 오버드 실드가 두 번 필요해지잖아. 이러면 MP가 부족해지니까 빨리 넣어야

한다고.

◆아코 : 네, 네에!

◆루시안 : 그리고 아이템은 쓰레기니까 안 주워도 돼. 돈만 회수하면 된다고.

◆아코 : 아깝잖아요!

◆루시안 : 쓰레기라니까…….

◆아코 : 그보다 루시안, 전진하는 게 너무 빨라요! 어디로 간 건지 잃어버렸어요!

◆루시안 : 슬슬 미니맵 보는 걸 익히라고 했는데…….

◆아코 : 『루시안, 사랑해요!』

◆루시안 : 결혼 스킬로 강제 소환하지 마! 전투 중, 전투 중이라고!

우여곡절은 있었지만, 슬리퍼 선생님은 약한 데다 숫자도 많은 적이다.

점점 연계도 익숙해져서 나름대로 기계적인 사냥을 할 수 있었다.

◆아코 : 바빠서 이야기를 잘 못 하는 건 괴롭지만 무언의 연계라는 것도 좋네요.

◆루시안 : 아코를 신뢰하고 맡길 수 있는 상황은 희귀하니까 조금 기쁘네.

◆아코 : 저도 이 정도는 할 수 있어요!

그야 스킬 하나 쓰고 돈을 줍기만 하는 거니 누구라도 할 수야 있긴 하지.

◆아코 : 하지만 정말 오로지 쓰러뜨리고 줍기만 하네요…… 왠지 질리는 것 같은데…….

◆루시안 : 질리더라도 해야 해. 평균 네 시간, 토일 열 시간이 할당량이라고 생각해.

◆아코 : 안 돼요, 루시안. 그런 짓을 했다간 제가 망가져버려요!

◆루시안 : 이상한 단어를 골라서 말하는 건 그만둬.

이 녀석은 한 번 망가지는 게 오히려 제대로 돌아가지 않을까 싶은 생각이 들었다.

◆아코 : 노래도 질렸고, 슬리퍼 선생님도 질렸고…… 왠지 맵 오브젝트가 적으로 보여서 반사적으로 엑스댐을 걸 것 같아요…….

◆루시안 : 제1단계네. 앞으로의 성장이 기대되는군.

◆아코 : 아직도 위가 있는 건가요?!

애초에 감정이 남아 있는 시점에서 인간 봇이 되기엔 멀었어.

최종적으로는 게임 화면이 거의 보이지 않는 상태에 도달하지.

◆슈바인 : 큭, 이 쓰레기 기사놈이…… 이 몸의 사냥감을…….

바로 그때. 갑자기 이런 내용의 길드 채팅이 흘러나왔다.

◆루시안 : 무슨 일이야.

◆슈바인 : 시끄러. 닥치고 있어.

신경 써서 물었더니 오히려 화를 냈다.

이거 생각보다 상처받는데.

이 녀석 무섭다는 식으로 식은땀 감정 표현을 띄우자 아코가 하트 마크로 답했다.

이게 과연 대답인지 알 것도 같고, 모를 것도 같고.

◆아코 : 슈는 대체 뭐 하는 중일까요?

정말로 슬리퍼가 질렸는지 아코가 좀이 쑤신다는 듯이 물었다.

뭐, 첫날이고 무리를 시키는 것도 좋진 않지.

◆루시안 : 음. 적의 상황을 살피는 것도 중요하겠지. 잠깐 뭐 하는지 구경하러 가볼까?

◆아코 : 네! 어쩌면 슬리퍼 선생님보다 돈을 더 벌 수 있을지도 모르니까요!

◆루시안 : 그야 그렇겠지만…….

우리가 슈바인과 같은 돈벌이가 가능할지가 문제군.

길드 정보에서 슈바인의 정보를 보자 지금 있는 곳은 알타야 맵이라고 적혀 있었다.

◆루시안 : 그럼 잠깐 갔다 올까.

알타야 맵.

이곳도 여러 게임에서 자주 보이는 눈과 얼음으로 된 맵이다.

기본적으로는 오지 않지만, 가끔 오기도 하는 그런 곳.

◆아코 : 전에 왔던 적이 있는 것도 같고, 없는 것도 같은 곳이네요.

◆루시안 : 몇 번 정도 왔었어. 가장 최근에 온 적은, 으음…… 설마 하던 발렌티누스의 갑옷이 나왔던 그때야.

◆아코 : 무서운 사람들 말인가요?

그게 아니야. 아니라고. 그건 발렌슈타인 사람들이잖아.

◆루시안 : 그거 말고, 슈바인이 입고 있는 갑옷 말이야.

◆아코 : 아아, 보스한테서 나왔었죠.

◆루시안 : 가위바위보 했었지.

그리고 내가 이겼으니까 그건 원래 내 거인데 말이지.

슈가 너무나도 빈약했으니까 빌려준 거지만.

◆루시안 : 업뎃으로 약간 가격이 내려갔지만 그래도 그걸 팔면 100M 단위니까 내 문제는 한 방에 해결되는데 말이야.

◆아코 : 지금이라도 팔래요?

◆루시안 : 그 녀석이 너무 마음에 들어 해서…….

분명히 나오는데도 불구하고 좀처럼 가격이 내려가지 않는 장비는 역시 가격에 어울리는 능력치를 가진 것이다.

슈바인 역시 때때로 미안한 듯이 계속 빌리고 있는 걸 사과했다. 그래서 팔 거니까 돌려달라고는 말하기 힘들었다.

◆루시안 : 다들 착실하게 모으고 있으니까 나도 모아야지. 핸디캡으로 치지 뭐.

◆아코 : 그 다정함을 조금만 더 저한테 돌려주시면…….

◆루시안 : 나는 아코한테는 엄청 다정하게 대한다고 생각하는데.

◆아코 : 좀 더 다정하게 대해주셔도 되는데요?

내 신부의 어리광에는 한도가 없었다.

◆루시안 : 그래도 말이지. 상대가 내가 아니었다면 아코 넌 하드한 순정 만화 같은 심각한 꼴을 당할 것 같은데.

◆아코 : 조금은 그런 상황에 처해도 괜찮을 것 같은데요.

◆루시안 : 요즘 순정 만화를 얕보지 마!

◆아코 : 그 부분에서 화내는 건가요?!

진짜로 하드하다니까. 베리 하드라니까.

나는 죽었다. 스위트(웃음)#2 같은 상태가 된다고.

◆아코 : 근데 슈는 뭐 하는 걸까요? 갑옷이 여기 보스한테서 나오니까 다시 얻으려고 하는 걸까요?

◆루시안 : 돈이 필요해서 이 사냥터에 있는 거니까 아마 그럴 거라 생각해.

비싼 레어 아이템을 얻으면 일확천금. 그 녀석이 좋아할 만하다.

우리는 몬스터를 사냥하는 것도 아니고, 그저 맵을 우왕좌왕하는 플레이어가 상당히 많은 꺼림칙한 곳을 뚜벅뚜벅 걸었다.

#2 스위트(웃음) 대중 매체에 영향을 쉽게 받는 젊은 여성을 비아냥거리는 일본의 인터넷 속어

◆아코 : 아, 슈네요.

◆루시안 : 저 녀석 뭐 하는 거야.

슈바인이 있었다.

있긴 했지만, 어딜 봐도 수상했다.

보니까 잠깐 걷다가 설산 뒤편에 숨고, 잠깐 걷다가 나무 뒤에 숨는 등 수상한 동작을 반복하고 있었다.

◆루시안 : 저기, 슈바인 씨?

◆슈바인 : 뭐냐, 루시안이랑 아코냐. 너희들 뭐 하러 온 거야.

◆루시안 : 상황이 어떤지 보러 온 거야. 너야말로 뭐 하는데? 어딜 봐도 행동이 이상하다만.

◆아코 : 보스를 찾고 있는 건가요?

슈바인은 스윽 다음 그늘에 숨고는 주변을 살피며 대답했다.

◆슈바인 : 뭐, 그렇지. 일단 묻겠는데, 너희도 보스 잡아서 돈 벌 생각은 아니겠지?

◆루시안 : 우리한테 어울리는 돈벌이는 아닌데.

◆아코 : 못 이겨요.

◆슈바인 : ……하긴 그런가. 그럼 가르쳐주마!

◆슈바인 : 어이쿠.

슈바인은 이야기 도중임에도 살금살금 그늘에 숨으면서 말을 이었다.

◆슈바인 : 보스 사냥에는 몇 가지 단계라는 게 있지.

◆슈바인 : 보스가 있는지 없는지 확인하는 단계, 다음으로 보스를 찾는 단계, 그 뒤에 실제로 보스를 치는 단계야.

◆아코 : 네에.

잘 모르겠다는 듯이 대답하지 말아주겠니.

그렇게 복잡한 이야기가 아니야. 보스라는 건 언제나 맵에 있는 게 아니라 쓰러지고 나서 몇 시간 후, 종류에 따라선 며칠 후에 다시 리젠[#3]되는 레어 몬스터라고.

그밖에도 특정 몬스터가 쓰러진 후에 젠되는 몬스터도 있어서, 아무튼 조건이 복잡해.

그런 있는지 없는지도 알 수 없는 상대를 계속 찾아다니는 건 효율이 나쁘단 말이지.

◆슈바인 : 확실한 정보 루트나 신뢰할 수 있는 상대가 있으면 전부 자력으로 찾을 수 있지만 이 몸한테는 어느 쪽이든 힘들지. 그래서…… 녀석인 거다.

그러면서 시선 끝을 가리켰다.

슈바인과 같은 남자 소드 댄서가 보였다.

화력이 높은 근접 딜러이며, 숙련자라면 어그로를 유지하면서 딜을 계속 뽑아낼 수 있으므로 보스 사냥에 어울리는 직업이다.

◆슈바인 : 저 녀석은 이전에 경매장에서 발렌티누스의 투

#3 리젠 온라인 게임에서 몬스터들이 죽고 난 뒤 다시 나타나는 것을 일컫는 말. 이를 줄여 『젠』이라고도 한다. 어원은 부활을 뜻하는 리제네이션(regeneration).

구를 출품했었지. 즉 보스 사냥 플레이어란 거다. 그러니 녀석을 쫓다 보면…….

◆루시안 : 보스까지 데려가주지 않을까, 그런 거냐.

◆아코 : 작전을 생각한 거네요.

◆슈바인 : 당연하지. 아무런 승산도 없이 도박에 나서는 녀석은 그냥 바보야.

의기양양한 표정을 하고 말할 정도로 멋있는 상황은 아니지만, 아무튼 그렇게 몰래 따라갔다.

그렇게 우왕좌왕 맵을 걷기를 몇 분, 전방을 걷던 소드 댄서가 갑자기 방향을 바꿔서 달려나갔다.

◆슈바인 : 나왔군! 가자!

숨는 것을 포기한 슈바인이 마찬가지로 달려나갔다.

◆루시안 : 우리도 쫓자.

◆아코 : 네~에.

우리는 돌진 스킬이 있는 소드 댄서와 비교하면 속도가 느렸다.

느긋하게 뒤를 쫓자 몇 명의 플레이어가 수염 난 댄디한 몬스터와 사투를 벌이고 있었다. 그중에는 슈바인의 모습도 보인다.

◆아코 : 슈가 이길 수 있을까요?

◆루시안 : 마스터가 없으니, 드롭 아이템을 얻을 확률은 꽤 낮다고 생각해.

보스에겐 이른바 『스틸』이라는 개념이 통하지 않는다.

보통은 막타— 마지막 타격을 가한 플레이어에게 드롭 아이템의 소유권이 있지만 보스의 경우 딜링 공헌도가 모든 것을 결정한다.

가장 대미지를 많이 입힌 플레이어에게 권한이 양도되는 것이다.

갑옷을 주웠을 때는 드롭된 것도 굉장했지만 주울 수 있었던 것도 굉장했다. 요컨대 마스터의 딜이 어마어마해서 주변 플레이어보다 우리에게 권한이 주어진 거지만.

◆아코 : 아, 꽤나 약해져 있네요.

◆루시안 : 쓰러질 것 같네.

수염이 늘어지는 건 발렌티누스 님이 약해졌다는 신호다.

계속 모이는 플레이어들의 공격을 얻어맞아 드디어 팡파르가 울려 퍼졌다.

M.V.P! 라는 커다란 표시와 함께 드롭 아이템이 뿌려졌다.

◆슈바인 : 아아아아악, 못 주워! 못 줍는다고!

◆루시안 : 뺏겼네. 뺏겼어.

◆아코 : 실패한 거네요.

다른 녀석들이 파티를 짜고 있으면 어려우니 말이지.

솔로로 해선 어지간히 좋은 조건이 아니라면 보스를 사냥하기 힘들다.

◆루시안 : 아쉽게 됐네. 괜찮냐?

슈바인에게 말을 걸었다.

꽤나 분통해할 거라고 생각했는데.

◆슈바인 : 문제없어. 이걸로 토벌 시간은 알았으니까. 오후 9시 16분에 발렌티누스가 쓰러졌어…… 그렇다는 건 다음 리젠은 여섯 시간 후, 오전 3시 16분이야.

슈바인은 히죽 웃으며 그렇게 말했다.

◆루시안 : ……자다가 일어나서 사냥할 거냐?

심야 중의 심야인데? 내일도 등교일 아니냐?

◆슈바인 : 이 바보야. 심야, 새벽의 보스야말로 좋은 목표 아니냐. 루시안은 아무것도 모르는구만. 뭐, 맡겨두라고. 이 몸이 커다란 집을 사줄 테니까 말이지.

그럼 다른 보스를 보고 오마. 라면서 슈바인은 마을로 돌아갔다.

◆루시안 : 듬직하네. 저 녀석.

◆아코 : 저희가 따라 해도 돈을 벌지는 못할 것 같아요…….

◆루시안 : 아니, 심야나 새벽에 보스 사냥하면 학교 못 가잖아.

졸려요~ 라는 말과 함께 연락을 취하지 못하게 된 전과가 이미 있었다.

그리고 아코가 곯아떨어진 것이 원인이 되어 파티가 전멸한 적도 몇 번 있었다.

◆아코 : 우우. 그건 저기, 자신이 없는데요.

◆루시안 : 오히려 쉬는 쪽이 자신 있는 주제에.

◆아코 : 그건 그러네요!

이 녀석한테 보스를 사냥하게 해선 안 된다.

빨리 재우고 아침부터 잡몹 사냥을 해서 돈을 버는 편이 좋겠어.

◆루시안 : 그럼 우리도 마을로 돌아갈까. 덤으로 마스터의 상태도 보러 가자.

◆아코 : 마스터는 마을에 있는 건가요? 그럼 쉬고 있는 게 아닐까요.

◆루시안 : 아니, 아마…… 돈을 벌고 있을걸.

마스터는 제도 로드스톤에 있다고 표시되어 있었다.

역시 수도인 만큼 엄청 넓은 맵이지만 사람이 모이는 장소는 대충 안다.

물건을 팔고 싶은 사람은 남쪽으로, 파티 멤버를 찾는 사람은 동쪽으로.

크래프팅은 서쪽에서, 북쪽은 이벤트 공간이라는 로컬 룰이 있기 때문이다.

이것도 서버마다 달라서, 다른 서버를 보러 가면 신선하긴 하다.

어찌 됐든 그걸 기준으로 생각하니 마스터는 간단히 발견

됐다.

남쪽, 유저의 개인 상점이 넘쳐나는 메인 스트리트의 한 쪽, 경매장 접수창구 앞에 있었다.

◆루시안 : 예상에서 한 치도 벗어나지 않는 곳에 있네, 마스터…….

◆아코 : 바로 찾았네요.

분명 이곳이라고 생각했다. 확신하고 있었다고.

◆애플리코트 : 오오, 아코. 루시안. 어쩐 일이냐?

저쪽도 우리를 눈치챘나 보다. 마스터가 우리에게 말을 걸어왔다.

전혀 움직이지 않는 점에서 뭘 하고 있는지 짐작은 가는군.

◆루시안 : 어쩐 일이고 뭐고…… 마스터 대체 뭐 하는 거야?

◆애플리코트 : 자금 모으기지.

마스터는 우뚝 선 자세로, 아무 망설임 없이 단언했다.

그래. 그렇겠지.

◆아코 : ……어떻게 버는 건데요?

◆루시안 : 그다지 듣고 싶지 않은 방법이라고 생각하는데.

◆애플리코트 : 실례로구나. 루시안.

조금 욱한 마스터가 겨우 이쪽으로 고개를 돌렸다.

◆애플리코트 : 설마 내가 사기꾼 같은 방법으로 돈을 모은다고 말하려는 거냐. 전혀 그렇지 않다. 여기서 벌어지는 건 누구나 이득을 보는 근사한 거래다!

◆루시안 : ……구체적으로 말하면?

◆애플리코트 : 좋아. 그럼 경매장을 열어봐라.

들은 대로 경매장을 열어봤다.

이건 LA 시스템이 운영하는 경매인데, 출품에 수수료가 필요한 대신 전부 자동으로 경매가 진행되며 팔리면 입금, 팔리지 않으면 반품되는 시스템이다.

과거의 가격도 거슬러 올라가면 볼 수 있기 때문에 성능이 꽤 우수하며, 생산 재료나 소모품 등 필요한 물건의 대부분은 이곳에 갖춰져 있다.

역시 특별한 물건은 개인이 여는 유저 상점을 보지 않으면 찾기 힘들긴 하지만…….

◆루시안 : 그래서 뭘 봐야 하는데?

◆애플리코트 : 생산 아이템, 크로우 버드의 깃털이라는 걸 찾아봐라.

◆아코 : 어어…… 이거네요.

들은 대로 열어봤다.

같은 단가로 다섯 개가 출품되어 있었다. 100개 세트가 다섯 개에 1M이다.

그다지 생산 활동에 종사하지 않는 나는 이 정도인가? 라고 생각하는 수준의 단가였지만.

◆아코 ……어? 물건이 적지 않나요?

◆루시안 : 아코, 이거 산 적 있어?

◆아코 : 언젠가 제 옷을 만들 수 있지 않을까 싶어서요.

의외로 생산 스킬까지 올렸나 보다. 그런 점은 몰래 나보다도 노력하는 아코답다.

◆아코 : 평소라면 좀 더 많이 팔 거고…… 게다가 가격이 이렇게 높았었나요?

◆애플리코트 : 후후후, 잘 눈치챘구나.

의아한 듯이 말하는 아코를 보며 마스터가 씨익 웃었다.

◆애플리코트 : 여기에 있는 크로우 버드의 깃털은 모두 내가 다른 캐릭터를 사용해서 출품한 거다!

◆아코 : 그럼 원래 등록되어 있던 건 어떻게 된 건가요?

◆애플리코트 : 전부 사들였지.

순간 아코의 채팅이 멎었다.

엥? 이라는 얼굴로 굳어져 있는 아코가 보이는 것 같다.

◆아코 : 그, 그치만 다른 사람이 나중에 출품하잖아요?

◆애플리코트 : 그것도 전부 샀다.

◆루시안 : …………그래서, 전부 사들였으니까 지금부터는 이 금액으로 사라고?

◆애플리코트 : 물론. 앞으로는 이 애플리코트의 단가로 사도록 해라!

사재기 시세 조작이냐!

엄청 민폐잖아!

아이템 가격을 갑자기 두 배로 올리다니 최악이야!

◆아코 : 그, 그렇군요! 세상에서 나밖에 갖고 있지 않은 아이템이라면 가격은 얼마든지 붙일 수 있는 거네요!

◆루시안 : 영향받지 마. 그렇게 쉬운 게 아니라고.

생산 재료 같은 건 여러 사람이 갖고 있고, 여러 곳에서 나온다.

마스터도 이미 상당히 돈을 쓴 뒤이므로 그것들을 전부 사들일 돈은 없을 것이다.

◆루시안 : 그러다간 언젠가 파산할걸.

나는 미심쩍은 시선으로 바라봤지만 마스터는 조금의 동요도 보이지 않았다.

◆애플리코트 : 당연하지. 자기보다 싸게 파는 사람의 상품을 전부 사들였다간 언젠가 파산할 거다. ……하지만.

후훗 하고 웃으며 말을 잇는다.

◆애플리코트 : 애초부터 나는 이 가격으로 시세를 고정시키려고 하는 게 아니다. 목표액을 이미 정해뒀지.

◆루시안 : ……그 말은?

◆애플리코트 : 인간이라는 건 누구나 욕구가 있는 법이다. 이처럼 한동안 고가의 재료만 나와 있다면 다음에 출품하는 인간은 당연히 평소보다 높은 가격으로 내놓겠지. 원래대로라면 개당 1k였던 크로우 버드의 깃털을 1.5k로 팔게 되는 거다.

◆아코 : 그러네요. 다른 곳보다 싸니까 조금 비싸게 놔둬

도 사가겠죠.

그건 이해한다. 나라도 그렇게 할 테니까.

평소보다 비싸게 팔 수 있다면 결코 나쁜 이야기가 아니니까.

◆애플리코트 : 그렇지. 거기서 새로운 라인을 정하는 거다. 1.5k의 출품을 허용하고, 1.3k의 출품은 사들인다. 그러면 곧장 시가는 1.5k 전후로 안정되고, 출품이 늘어나겠지. 이러면 아무도 독점 시세 고정이라고는 생각하지 않겠지?

◆루시안 : 그래도 마스터가 사들이지 않으면 점점 단가가 내려가서 최종적으로는 다시 1k로 돌아가지 않을까?

◆애플리코트 : 내가 움직이는 건 그 틈새의 시간이다! 시가가 1.5k로 안정된 타이밍에 처음에 1k로 독점했던 대량의 크로우 버드의 깃털을 팔아치우는 거지! 틀림없이 전부 1k 이상으로 팔 수 있게 된다! 팔면 팔수록 돈을 버는 거지!

◆아코 : 그렇군요!

감동했어요! 라는 리액션은 그만둬, 아코!

◆루시안 : 이미 충분할 정도로 사악해!

◆애플리코트 : 전략가라고 불러다오.

◆아코 : 루시안, 저도 이걸로 돈을 벌고 싶어요!

그렇게 반짝반짝한 눈동자로 요구해도 안 돼. 아코.

◆루시안 : 대실패할 미래밖에 보이지 않으니까, 부탁이니 그만둬.

외환 거래를 했다가 있는 돈을 전부 날려버린 사람처럼 될걸.

◆루시안 : 애초에 시장 조작은 물류에 대한 지식, 시가를 파악하는 판단력, 또 조작할 수 있는 수량도 필요하다고. 아코 너한테 가능하겠냐?

◆아코 : 전부 무리지만 돈은 갖고 싶어요!

◆루시안 : 욕심 부리면 안 돼! 그런 사람은 착실하게 벌어야 한다고!

◆아코 : 조금쯤은 한방에 인생 역전 같은 걸 꿈꾸는 것도 좋잖아요!

아코는 마스터의 간단한 돈벌이— 로 보이는 방식에 끌린 것 같지만, 실제로 그렇게 편한 건 아닐 텐데?

◆루시안 : 아…… 그럼 마스터, 막 시작한 지금 단계에서 수지는 얼마나 되는데?

◆애플리코트 : 마이너스 400M 정도려나.

◆아코 : 4?!

아코의 말문이 막혔다.

물어본 나 역시 말문이 막혔다.

기본 자금이 대체 얼마나 든 거야. 실패하면 끝장이잖아.

그보다 원래부터 그렇게 갖고 있었다면 할당량 같은 소리 하지 않아도 마스터가…… 아니, 그에 관해서는 말하지 말자.

◆애플리코트 : 돈을 많이 쓴 뒤라 수중에 남은 게 적어서

말이다. 돈을 벌 수 있을 때까지 대충 사흘은 걸리겠지. 그때까지는 다른 곳에서 싸게 산 물건들을 슬쩍 흘려서 벌 작정이다.

되팔이라는 건가. 온라인 게임에서는 전매상이라 불리기도 한다.

이것도 이것대로 그다지 환영받지는 못하는 돈벌이 수단이다.

◆루시안 : 어때. 하고 싶어? 아코.

◆아코 : 무리예요오오오오.

소지금의 대부분을 팔릴지 안 팔릴지 알 수 없는 물건에 쏟아부을 정도의 자신감이 없다면 못 하는 방식이다.

이것도 아코나 나에게는 도저히 무리지.

◆루시안 : 그럼 마스터, 경매는 적당히 하라고.

◆애플리코트 : 경매 물색이야말로 최대의 즐거움이지. 기대해둬라.

이상한 책략을 생각할 때가 가장 즐거워 보인다니까. 이 사람은.

하지만 저래 봬도 의외로 어벙한 구석이 있으니 말이지…… 잘되면 좋겠다만.

◆루시안 : 역시 저 둘의 돈벌이 수단은 우리한텐 무리였군.

◆아코 : 역시 슬리퍼 선생님밖에 없다는 거네요…….

시무룩하게 큰길을 걷고 있자니 빼꼼빼꼼 흔들리는 고양이귀가 옆을 지나갔다.

◆고양이공주 : 냐?

◆루시안 : 고양이공주 씨였네요.

◆아코 : 안녕하세요.

◆고양이공주 : 냐아. 두 사람 뭐 하는 건가냐?

◆아코 : 둘이서 하우징을 위해 돈을 모으고 있어요!

나에게 달라붙으며 말하는 아코를 본 고양이공주 씨는 매우 미묘한 표정을 지었다.

◆고양이공주 : 역시 너희 둘도 하우징인 건가냐…….

◆루시안 : 고양이공주 씨도 돈 버는 건가요?

◆고양이공주 : 길드 사람들이 성을 사겠다고 의욕이 넘친다냐. 역시 무시할 수는 없다냐.

역시 그쪽은 큰 걸 노리는 건가…… 성천사 고양이공주 신전을 세우는 것은 아니니 그나마 나은 걸지도 모른다.

◆아코 : 근데 선생님. 힐러 혼자선 큰일이지 않나요? 어떻게 하실 건데요?

같은 힐러 동료로서 아코가 묻자 고양이공주 씨는 으음 하고 미묘한 표정을 지었다.

◆고양이공주 : 고양이공주 씨는 오늘 25M 정도 벌었다냐.

◆아코 : 뭐라고요오오오오오오오!

까앙, 엄청난 쇼크를 받았다— 그런 감정 표현을 취하면서 아코가 외쳤다.

◆아코 : 치사해요, 어떻게 한 건가요! 하루 만에 그렇게 벌 수 있다면 저도 하고 싶어요!

◆고양이공주 : 딱히 이상한 건 안 했다냐.

하늘하늘 흔들리는 고양이귀.

긴 꼬리를 자신만만하게 세운 모습이 귀여웠다. 그리고, 약삭빨랐다.

◆고양이공주 : 내가 한 건 대토벌 퀘스트의 조력이다냐. 연속해서 하면 분배받는 걸로도 나름 벌 수 있다냐.

그리고 사뭇 당연한 듯이 그런 소리를 했다.

오오, 이 사람은 대토벌의 힐러를 맡는 걸로 그만큼 벌어들인 건가…….

◆아코 : 대토벌이라니, 그건 힐러가 한 번 실수하면 즉시 전멸 같은 퀘스트만 있는 게…….

◆루시안 : 엔드 콘텐츠니까…… 우리도 상당히 죽었고.

전에 니코니코 동화에서 방송하면서 했던 것과 똑같은 종류다. 현재로서는 최종 목표 중 하나로, 터무니없이 강한 적과 터무니없이 비싼 아이템이 나온다.

◆아코 : 연속해서 한 건가요?

아코가 조심조심 묻자 고양이공주 씨는 들뜬 기분으로 귀를 움직였다.

◆고양이공주 : 레어는 그렇게 자주 나오는 게 아니다냐.

일단 두세 개 주울 때까지 빠질 수 없는 게 규칙이었으니까 오늘 열 번은 했다냐.

◆아코 : 전부 성공한 건가요?

◆고양이공주 : 실패할 수준의 멤버는 모으지 않았다냐.

◆아코 : 그, 그럴 수가…….

굳이 따지자면 자신이 패인이 되는 타입인 아코에게는 믿을 수 없는 세계였던 모양이다.

우리는 솔로들을 모아서 이판사판으로 한번 가보자는 난이도의 퀘스트였으니까. 응.

힐러는 장비도 중요하지만 무엇보다도 자리 잡기와 플레이어 스킬이 중요하다. 폐인 길드와 연줄이 있는 실력 좋은 힐러가 돈에 곤란해 하는 모습은 본적이 없다.

왜냐하면 퀘스트를 할 테니 와달라는 부탁을 받으니까. 한가하지 않아도 파티 요청이 들어오니까. 그야 돈이 쌓이지. 저절로.

◆고양이공주 : 일도 해야 하니까 시간은 오래 들일 수 없다냐. 잽싸게 모으고 나머지는 맡기는 거다냐.

◆루시안 : 교주님도 큰일이네요.

◆고양이공주 : 다들 장난기가 너무 심하다냐…….

초연하게 빛나는 고양이공주 친위대의 엠블럼을 보며 선생님은 시무룩하게 고양이귀를 늘어뜨렸다.

그건 친위대 사람들의 바람이기도 하니까, 여신 일도 열심히 해주세요.

아코 앞에선 말하지 않겠지만, 앨리 캣츠에 들어와 줬으면 할 정도니까.

◆고양이공주 : 이제 그냥 마음대로 하면 된다냐…… 고양이공주 씨가 옥좌에 앉아주겠다냐…….

◆루시안 : 수고가 많으시네요.

정말로, 수고 많으십니다.

지친 모습으로 떠나가는 고양이공주 씨를 배웅했다.

◆아코 : 대토벌 같은 건 무리인데요. 저는 어떻게 해야…….

폐인 길드와 연줄이 있긴 하지만 장비도 플레이어 스킬도 없는 아코는 한층 시무룩해져서 주저앉아 버렸다.

◆루시안 : 아…… 아코 양.

◆아코 : 네에에.

◆루시안 : 착실하게 힘내자. 착실하게. 나도 같이 힘낼 테니까.

◆아코 : 우우우, 알겠어요! 슬리퍼 선생님한테 지지 않을 테니까요!

◆아코 : 역시 슬리퍼 선생님한테는 이길 수 없었어요…….

◆루시안 : 바로 항복하지 말라고.

2컷 즉시 타락 시리즈도 아니고…….

그로부터 두 시간도 지나지 않았는데 아코는 한계가 온 모양이다.

◆루시안 : 아직 할 수 있어. 조금만 더 힘내자.

◆아코 : 이제 모니터의 얼룩조차도 슬리퍼 선생님으로 착각할 것 같아요…….

애석하지만 그건 자주 있는 일이다.

모니터는 좀 깔끔하게 해두라고.

◆루시안 : 그럼 슬슬 잘까?

◆아코 : 아아, 지금 루시안을 때리면 돈이 떨어질 것 같은 생각이 들어요…….

◆루시안 : 때리고 싶다면 때려도 되지만 드롭은 안 될 거야.

증세가 심각해지고 있었다. 이제 겨우 첫날인데도.

◆아코 : 우우, 오늘은 그만 잘래요…….

◆루시안 : 오케이. 내일 보자.

아코가 나갔다. 첫날치고는 열심히 한 편이려나.

슬슬 날짜가 바뀔 시간인데, 그럼 어떻게 할까.

나도 꽤 졸리긴 하지만…… 아직 두세 시간 정도는 할 수 있을 것 같았다.

솔로로 조금 더 해두고 가자.

말해두지만, 나도 오기가 있다고.

나랑 아코의 집을 갖고 싶은 마음도 있지만, 그 이상으로.

아코 취향의 집을 짓고, 아코 취향의 인테리어를 하고, 모두의 방을 완성하고 나면 아코가 어떤 표정으로 웃을지를 기대하고 있단 말이지.

"좋아…… 해볼까."

내가 조작하는 루시안은 지친 낌새 하나 보이지 않고 슬리퍼 선생님에게 검을 꽂았다.

몇 시간 하면 끝날 예정이었던 나 홀로 사냥은 해가 뜰 때까지 이어졌다.

2장 거대상전(巨大商傳)

And you thought there is Never a girl online?

딩~동~댕~동 벨소리가 울리고, 선생님이 교실을 나갔다.

곧바로, 나는 머리를 부딪칠 기세로 책상에 엎어졌다.

“니시무라~, 오늘도 밥 없냐?”

“그런 것보다 졸려엉…….”

“뭔 소리야.”

아침밥만 먹는다면 수면욕은 식욕보다 우선되는 모양이다.

이제 모든 걸 잊고 잠들고 싶다. 잘 수만 있다면 그걸로 만족이다.

“그럼 우리끼리 먹는다.”

“왜 그렇게 졸린 얼굴이냐고. 나도 아침 연습이 있어서 실제로는 세 시간 정도밖에 안 잤는데.”

“힘들다니까.”

호오 호오, 말 한번 잘하는군.

나는 실제로고 자시고 정말로 세 시간밖에 안 잤다만. 씨이이이익— 이라고 말할 기력도 없어서 엎어진 채로 끄덕끄덕 고개만 움직여서 대답을 대신했다.

“너 왜 그렇게 졸려 하는데?”

“부활동…….”

"니시무라, 너 부활동 같은 거 했었냐?"

"그거잖아. 게임부겠지."

온라인 게임부입니다. 정확하게는 현대통신전자 유희부입니다.

"아…… 그럼 잠도 안자고 게임한 거냐."

"돌아가서도 개인 훈련이라니, 부활동 참 성실하게 하네, 루시안은~."

시끄러, 냅둬.

예전에는 내가 졸려 보여도 내버려 뒀는데, 문화제에서 온라인 게임부의 존재가 은근히 알려진 모양인지 이런 시시하기 짝이 없는 도발을 받게 되었다.

그리고 그 탓에, 관계가 얽히지 않기 위해 견뎌내야 하는 사람도 있었다.

"아카네. 왠지 저기, 다이어트를 안 해도 벌써 마른 것처럼 보이는데."

"다이어트는 원래 다소 무리하는 거잖아."

"그치만 엄청난 다크서클인데……."

한밤중이나 새벽에 보스를 잡던 세가와도 이미 몸에 한계가 온 모양이다.

매일 졸려 보이는 게 나랑 똑같다는 취급을 받는 게 싫은 건지, 다이어트로 밀어붙이고 있는 모양입니다.

얼굴을 드는 게 괴로워 보지는 않았지만, 안색이 어떨지는 대충 짐작이 간다.

어쨌든 졸리다. 졸리니까 어쩔 수 없다. 다음 수업까지 이대로 잠들—.

"루시아~안."

—수가 없었다.

"…………."

"루시안 루시안, 점심이에요 루시안. 이야기해요 루시안."

"어, 어어……."

무시하면 이대로 루시안을 연타합시다 게임이 시작될 것 같아서 고개를 들어 눈을 맞췄다.

"아코…… 무슨 일이야……."

"점심이에요. 같이 먹어요."

그런 소리 해봤자 가져온 건 녹차뿐이잖아. 참으로 빈곤한 부부였다.

책상도 움직이지 않고 혼자 자고 있어서 앞자리가 비어 있었다.

마침 잘됐다는 듯이 아코가 그곳에 앉았다.

아아, 시추에이션 자체는 약간 꿈이 이루어진 느낌일지도 모른다.

점심시간에 여자 친구가 오고, 앞자리에 앉아서 도시락을 건네주는…… 그런 상황. 도시락은 없지만. 그리고 여자 친구가 아니라 신부지만.

"왠지 이런 것도 좋네요."

아코가 비슷한 걸 생각했는지 헤실거리며 말했다.

"그러네. 리얼충이란 느낌이네……."

싱글벙글 기뻐 보이는 아코를 보자 조금 눈이 뜨였다.

졸리다며 신부를 방치하는 남편이라니 겉으로 보면 매정한 녀석이잖아. 역시 제대로 이야기를 해야— 아니, 잠깐. 이상한데? 싱글벙글……?

왠지 위화감이 느껴졌다. 굉장히 커다란 위화감이.

천천히 몸을 일으켜서 진지하게 아코와 마주 봤다.

아코는 최소한 마실 것만이라도 주고 싶었는지 종이컵에 차를 타 왔다.

즐거워하며 콧노래를 부르는 그 모습을 보며, 평소보다 훨씬 흐트러진 검은 머리카락을 살짝 젖혔다.

머리카락은 평소보다 부스스하고…… 왠지 기운차고…… 그렇군!

"왜 그러시나요?"

느긋하게 고개를 젖히는 아코에게 나는 손가락을 척 들이댔다.

"너, 오전 수업 제대로 안 받았지!"

미소와 함께 아코가 빠직 하고 굳었다. 이동 불가 계열 상태 이상이라도 당한 것 같았다.

그대로 삐걱삐걱 소리가 날 것 같은 무거운 동작으로 내게서 고개를 돌리고는 이미 단념한 걸로 보일 정도의 대사로 도피를 시도했다.

"어째서 그런 소리를 하시는 건가요. 무슨 증거가 있길래……."

그러나 아쉽게 됐군. 아코. 증거는 있어.

"나를 얕보지 말라고, 아코. 언제나 다듬고 있다고는 말하기 어려운 네 앞머리지만…… 그럼에도 오늘은 훨씬 더 부스스해. 기억이 나. 이건 자다가 막 일어난 아코의 모습이야."

"으윽."

마음에 나이프가 푹 박힌 아코가 물러섰다.

허둥지둥 손으로 머리를 다듬어 봐도 이미 늦었어.

"……왜 이 녀석은 자다 막 일어난 타마키의 머리 모양을 아는 거야."

"묻지 마, 쑥스럽잖아."

"한여름의 경험이 니시무라를 남자로 만든 거겠지."

"이런 건 노골적으로 듣는 것보다 말끝에서 은근슬쩍 풍기는 편이, 뭔가……."

"그래, 에로한 느낌이 드네."

같은 반 남자들한테 쓸데없는 오해가 생기고 있어!

아니야. 그런 게 아니라고!

합숙! 합숙에서 곯아떨어진 아코를 본 적이 있을 뿐이란 말이야!

"어, 어흠. 그리고 말이다."

태세를 다잡고 말을 이었다.

"또 있어. 잠에 약한 아코가, 게다가 어젯밤 늦게까지 같이 있었음에도 불구하고, 이렇게 졸려 하는 나에 비해 너는 쓸데없이 기운차잖아. 여기에서도 네가 자고 있었던 걸 예상할 수 있어."

"늦게까지……."

"같이 있었다……?"

아키야마와 세가와가 오물을 보는듯한 시선을 던졌다!

뭐야, 적어도 너희는 늦게까지 게임에서 돈을 벌고 있었다는 거 알고 있잖아!

좀 잠자코 있어 주지그래!

"즉! 도출되는 결론은, 너는 오전 수업 시간에 보건실에서 자고 있었다는 게 되지!"

"이, 이의 있음! 저는 수업은 제대로 들어가서 도중에 자고 있었을 뿐이에요. 출석에 관해서는 문제없어요!"

아코에게서 이의가 제기됐다. 하지만 물러터졌군!

"기각이야! 눈에 띄는 걸 싫어하는 네가 수업 중에 머리가 흐트러질 정도로 당당히 잔다고?! 주의를 받고 시선이 쏟아질 것 같은 그런 짓을 하겠냐!"

"우우우우우."

아코에게 크리티컬 히트.

훌륭하게 논파했다.

"죄송해요…… 제가 저질렀어요……."

"죄를 인정하는 거냐……."

"저, 다시 시작할 수 있을까요."

"다시 시작할 수 있고말고. 분명, 얼마든지……."

아코의 어깨를 툭 두드리며 미소와 함께 말했다.

"일단 오후 수업은 반드시 들어라. 안 그러면 화낸다."

"네……."

아코가 울상을 지으며 끄덕였다.

그런 내 어깨를 누군가가 툭 두드렸다.

뭐지? 라며 돌아보자, 사람은 고사하고 보스조차 죽일 것 같은 눈초리의 세가와가 있었다.

"너희들, 밖에서, 해."

"……예입."

"네……."

보스 속성조차 갖지 않은 나에게는 저항할 도리가 없었다.

아코와 둘이서 고개만 끄덕끄덕거렸다.

"쫓겨났네요……."

"음…… 학생회실로 갈까?"

"그럴까요."

점심시간에는 종종 학생회실에 들린다.

언제나 마스터가 혼자 있어서 편하기 때문이다. 그보다 혼자 있는 마스터가 딱하기 때문이다.

누구 저 사람이랑 친구가 되어주실 분 없나요. 어울려보면 꽤 좋은 사람인데 말이지.

그런 연유로 똑똑 하고 문을 살짝 노크해봤다.

"……대답이 없는데."

"없는 걸까요?"

"글쎄. 그렇다면 좋은 일이라고 생각하지만……."

확인할 셈으로 문에 손을 갖다 댔다. 힘을 주자 손쉽게 열렸다.

뭐야, 열려 있잖아.

"히익?!"

그때, 학생회실을 들여다본 아코가 갑자기 뒤로 물러났다.

"무슨 일…… 우왓."

뒤늦게 안을 본 나도 순간 말문이 막혔다.

"뭐야 이건."

호러 영화에 나오는 귀신같은 것이 있었다.

그거야 그거. 뭐냐, TV 속에서 튀어나오는 녀석. 온~다, 반드시 온다~ 라는 녀석.[#4]

"왜 이런 곳에 사다코가."

#4 온~다, 반드시 온다~ 영화 '링'의 주제가 feels like『HEAVEN』의 가사.

대충 얼버무렸는데 아코가 대답해버렸군.

"마에가사키 고등학교 7대 불가사의, 학생회실의 사다코 인가."

"그만둬 주세요. 그런 건 소문을 퍼뜨리면 진짜로 나온다고요!"

"어디서 들은 이야기[#5]네."

말해두지만, 역 앞에서 교사를 찌르려고 하던 여고생이 훨씬 호러거든.

오히려 지금 상황이 덜 무서워.

"근데 이거…… 마스터네."

"그러네요."

새근, 새근, 하는 잔잔한 숨소리와 함께 검은 머리가 오르락내리락하고 있었다.

책상에 엎어져서 자는 바람에 얼굴이 가려져서 사다코 상태가 된 모양이다.

"어쩔까요. 깨울까요?"

"으음……."

편안하게 자고 있으니까 그냥 내버려 두고 싶긴 하지만.

"으응…… 으그극…… 그렇게 1k만 싸게 진열하지 마라…… 이 자식, 용서 못 한다……."

"시달리고 있네요. 마스터."

#5 어디서 들은 이야기 작가의 전작인 『당신이 사는 마을의 도시전귀』에 쓰여 있는 내용.

"꿈속에서도 시세 조작하고 있네."

그냥 내버려 두자.

그렇게 결심한 나는 문을 닫았다.

그런 식으로, 현실에 상당한 악영향을 끼치면서 나아가던 우리의 자금 모으기 승부.

부활동 시간에도 하는 일에 차이는 없었다.

"흠. 나쁜 단가는 아니군. 풀면 200k인가…… 2주일 만에 팔 수 있다면 말이지만……."

"……바론 타임, 1630, 리젠 세 시간……이라……."

"아코. 버프 다시 걸어줘."

"네. 이 세 마리가 끝나면 걸게요."

이런 식으로, 대화는 조금밖에 안 했다.

구체적으로는―.

"루시안, 스니커즈 클록의 시가를 아나?"

"저번 주에 35M 전후로 팔리는 거 봤어."

"흠. 조금 더 얹을 수 있을까."

"마스터, 쁘띠 드래곤의 부속성 뭐였더라?"

"독이다. 독 레벨 2."

"오케이. 고마워."

"루시안, 아직 다섯 마리 남아 있어요."

"놓쳤나. 미안. 돌아갈게."

이 정도다.

엄청나게 사무적인 분위기.

너무나도 시리어스한 분위기라 옆에서 서류 작업을 하던 고양이공주 씨도 약간 기겁한 모양이었다.

“다, 다들 너무 몰입하는 거 아니니? 괜찮아? 가끔은 모여서 사냥이라도 하는 게 어때?”

우리는 살며시 말을 건 선생님에게 시선조차 돌리지 않은 채 대답했다.

“그 사이에 시세가 움직이면 책임지실 수 있습니까?”

“미안하지만 보스 시간이 있거든요.”

“그거 슬리퍼 선생님 몇 마리만큼 벌 수 있나요?”

“저, 저기, 그게…… 냐, 냐냐, 아무것도 아니……다냐…….”

신경을 써준 선생님 쪽이 오히려 밀리는 상황이었다.

“루, 루시안은 멀쩡하니?”

멀쩡?

멀쩡하냐고요?

저한테 물은 겁니까? 선생님.

“이야~, 저도 잠기운하고 괴로움으로 한계거든요. 그래도 사냥 도중에는 몸이 멋대로 움직여서 평범하게 할 수 있긴 하지만요.”

“루시안의 캐릭터가 변했다냐!”

실례네요. 하하하.

"두 사람의 컴퓨터에서 판매 보고 메일이 오는 소리가 들릴 때마다, 보스 토벌의 MVP 효과음이 날 때마다, 저랑 아코는 압박당하고 있단 말이에요. 아시겠나요? 이해하시겠나요? 선생님?"

"바, 방해해서 미안하다냐!"

"알아주시니 다행이네요."

"질 수 없어요. 저희도 양보할 수 없는 게 있거든요."

"사이좋게 하면 될 텐데……."

그래선 재미없잖아요. 동료끼리 경쟁하는 것도 즐겁다고요.

이렇게 각자 서로를 몰아넣으면서 우리는 순조롭게 돈을 모아갔다.

승부는 아직 모른다. 질 수 없다. 모두가 그렇게 생각했다.

이때까지는—.

부활동이 끝나고 집에 돌아와서도 여전히 돈벌이는 계속됐다.

귀가하고 나서도 오로지 사냥을 이어가던 밤에 벌어진 일이다.

◆아코 : 조금 쉬어요~.

아코가 그런 말을 꺼낸 건 사냥이 시작되고 나서 두 시간이 지난 무렵이었다.

듣고 보니 나도 지쳤다. 아코도 꽤 열심히 했다.

◆루시안 : 그럼 잠깐 쉴까.

마을로 돌아가는 전이 크리스털을 부수고 별수 없다며 어깨를 으쓱했다.

아아, 하고 신음하고는 눈시울을 누르며 오늘 할당량을 돌이켜보니, 이건 대체 어디서 일하는 샐러리맨인가 싶은 기분이 들었다.

학교를 다녀온 뒤에 다시 일을 하는 거나 다름없으니까.

오랜만에 돌아온 이 찻집. 아무도 없는 조용한 내부이지만, 여기서 보내는 시간이 얼마 남지 않았다는 것을 떠올리자 왠지 감회가 깊었다.

◆아코 : 일단 예상대로 진행되고 있네요. 이대로 가면 이길 수 있을까요?

◆루시안 : 주말에 어느 정도 노력할 수 있느냐가 중요하지만, 페이스는 나쁘지 않아. 나도 혼자서 꽤 잡고 있으니까.

◆아코 : 저도 시간이 나면 혼자서 노력해볼게요. 자존심을 버리고, 화염의 블레이드 메이스랑 어스 코트를 입고 슬리퍼 선생님에게 도전할 거예요.

◆루시안 : 듬직하긴 하지만…… 장비는 평범하잖아.

◆아코 : 평범하지 않아요! 겉모습이 귀엽지 않단 말이에요!

◆루시안 : 전투 중에는 그런 건 잊지그래? 때와 장소에 맞춰서 옷을 입는 쪽이 멋진데?

◆아코 : 그, 그런 구실에 넘어갈 제가…… 제가 아니긴 하지만…… 아아, 루시안에게 멋지다는 말을 듣고 싶은 욕망이 높아져요!

내 신부가 너무 손쉽게 넘어가서 가끔 걱정된다.

단지, 이런 말을 할 때는 손쉽게 넘어가는 것 같지만 결국은 그날의 기분에 따라 귀여운 옷을 입고 오는 건 변함없기 때문에 실은 상당히 고집이 세다. 그 자리에서 회유하지 않으면 안 된단 말이지. 귀엽고 센 노선으로 가고 싶다면 고양이공주 씨 정도만큼은 플레이어 스킬을 올려줬으면 싶긴 하지만.

◆애플리코트 : 으음. 당했나.

◆루시안 : 왜 그래?

◆애플리코트 : 싸게 파는 물건을 찾았는데, 수치를 확인하던 2초 만에 빼앗겼다.

전매상도 라이벌이 많구만. 코어 타임에 양품 쟁탈전을 벌이는 건가.

◆루시안 : 그거 아쉽네. 일단 순조롭긴 해?

◆애플리코트 : 모두 예상대로 진행되고 있다. 깃털을 팔고 얻은 이익으로 다음에 손을 댈 물품도 찍어뒀으니 말이다.

◆아코 : 또 하는 건가요. 원금 400M에서 불렸으니까 그거면 충분한 게…….

오히려 시세 조작을 즐기고 있는 거겠지. 이 사람.

역시 최대의 적은 마스터인가. 이 사람을 쓰러뜨리지 않으면 나와 아코에게 미래는 없다.

◆아코 : 그러고 보니 슈의 상태는 어떤가요?

◆슈바인 : 엉? 별로 안 좋아. 상태 좋았으면 벌써 끝났겠지.

그야 그렇지. 보스 사냥은 그런 법이다.

만약 세 번 연속으로 초희귀 레어가 나온다면 그걸로 승부는 끝난다.

하지만 기분이 나쁘지는 않아 보이니 꽤 순조로운 모양이군.

◆슈바인 : 뭐, 나름대로 팔리는 레어도 나오니까. 나머지는 이 몸의 강한 운으로.

그때, 거기서 채팅이 멎었다.

응? 하고 생각하던 때 자막이 나왔다.

▶슈바인이 로그아웃했습니다.◀

◆애플리코트 : 회선이 끊어졌나.

◆루시안 : 보스 사냥 중이 아니었으면 좋겠는데ㅋ.

◆아코 : 사망 페널티는 싫어요.

뭐, 금방 돌아오겠지…… 라고 생각했지만 왠지 시간이 걸렸다.

아무리 기다려도 돌아오지 않았다. 슈바인의 아이콘은 오프라인 그대로다.

◆루시안 : 무슨 일이지. 부모님 플래그인가?

◆아코 : 걱정되네요.

설마 큰 사고라도 당한 건 아니겠지? 꺼지기 전까지는 평범했으니까.

그런 생각을 하는데 우웅, 우웅, 우웅 하고 내 휴대 전화가 울렸다.

뭔가 왔다. 확인해보니 『슈바인 님』에게서 온 전화다.

◆루시안 : 어라. 슈한테 전화가 왔네.

◆아코 : 전화인가요?

꽤 드문 일이다.

우리 사이에서 온라인 게임 중에 현실의 연락을 취하는 경우는 좀처럼 없었다.

특히 세가와는 내 휴대 전화 등록명이 『세가와 아카네』가 아니라 『슈바인 님』으로 되어 있을 정도였다.

"여보세요?"

『여보세요. 니시무라?』

"그래. 무슨 일이야?"

연락을 해 온 세가와는 조금 당황한 듯했다.

목소리를 봐선 괜찮아 보이지만, 무슨 일이 있었던 건 틀림없으리라.

◆아코 : 슈는 괜찮나요?

『그게 말이지. 조금 곤란한 일이 생겨서.』

"곤란해? 무슨 일 있었냐?"

대화랑 채팅을 동시에 하면서 세가와의 이야기를 들었다.

◆루시안 : 본인이 급병이라거나 그런 건 아닌 것 같은 데…… 뭔가 곤란한 일이 생긴 것 같아.

◆아코 : 곤란한 일이라니, 무슨 일인데요?

『미안, 니시무라. 지금 우리 집에 좀 와줘.』

◆루시안 : 지금 집이우오오오오오오오오.

◆아코 : 우오오오?

◆루시안 : 미안, 지금 건 취소.

큰일 날 뻔했네. 그대로 입력할 뻔했어!

"잠깐 너. 뭐라고?"

『지금 바로 우리 집으로 와줘.』

태연하게 바보 같은 소리 하지 말라고. 이 바보야.

"몇 시인 줄이나 알아? 놀러 갈 시간이 아니라고."

이미 막차가 떠날지도 모르는 시간이었다. 이런 한밤중에 여자인 친구의 집에 갈 수 있겠냐.

『괜찮아. 지금은 집에 아무도 없으니까.』

"전혀 괜찮지 않아!"

문제밖에 없는 발언이잖아!

알고 있어. 나는 알고 있다고?

가족들이 이상한 착각하는 게 싫으니까 괜찮다고 말하고 싶은 거지?

나는 그런 말에 들뜨지 않는다고?

순간 여러 가지를 상상해서 초조했지만 바로 깨달았거

든?

하지만 나랑 세가와 운운은 둘째 치고, 아코가 들었다간 괜찮지 않은 모드로 들어간단 말이지. 거기가 가장 위험하다니까.

"왜 갑자기 집에 오라는 건데. 무슨 일이야?"

『안 움직여.』

"……뭐가."

『내 샐러맨더가, 안 움직인다고.』

샐러맨더, 라고?

매우 불길한 예감이 들었지만, 일단 물어봤다.

"…………샐러맨더라는 건 네 애완동물이냐?"

애완 도마뱀이 동면에 들어갔습니다, 정도라면 웃을 수 있겠는데.

『그럴 리가 없잖아! 바로 지금까지 계속 함께 있었던 내 파트너! 내 컴퓨터야, 컴퓨터!』

역시나. 부실의 워 머신하고 똑같은 센스구만.

"안 움직인다고? 무슨 짓을 해도?"

『뚝 소리가 나고 멈춘 뒤부터는 아무것도…… 전원을 계속 눌러봐도 전혀 반응이 없고, 왠지 탄 냄새도 나고! 내 샐러맨더는 어떻게 된 거야?!』

"샐러맨더답게 타버린 거겠지……."

화염에 휩싸인 모습이 그야말로 샐러맨더 같은데.

세가와의 컴퓨터가 상당히 낡았다는 건 알고 있었지만.

최근의 밤낮을 가리지 않는 풀가동 탓에 드디어 운명했다는 건가.

『어쨌든 급해! 지금 당장 와서 고쳐줘!』

전화 너머에서 필사적으로 호소하는 세가와를 생각하면 바로 가주고 싶은 마음이 굴뚝같았지만.

“진정해. 아무것도 모른 상태에서 가봐도 도움이 안 돼. 일단 상황 파악부터 하자.”

『상황 파악이라니, 어떻게 하는데?!』

“일단 어째서 망가졌는지를 확인해야지.”

『아무것도 안 했는데 망가졌다고! 원인 같은 건 몰라!』

“아무것도 안 했다라…….”

PC가 고장 났을 때 가장 답답한 발언이 나왔다.

그럼 작동하겠지, 난 몰라, 라고 말해주고 싶은 것을 꾹 참았다.

“네가 잘못한 게 아니라도 뭔가 원인이 있을 거야. 그걸 알아보자고.”

『……어떡해야 되는데.』

조금은 냉정해진 모양이다. 겨우 내 이야기를 들을 마음이 생겼나.

그렇다면 일단은—.

“그럼 먼저, 전원 케이블은 콘센트에 꽂혀 있나?”

『너 시비 거는 거야?!』

“안 걸었어. 안 걸었어. 그저 PC가 움직이지 않는 이유 중에서 가장 많은 경우니까 묻는 거야!”

모르는 사이에 콘센트가 빠져 있을 때가 엄청 많단 말이야! 전원 코드도 자주 꼬이고!

『제대로 꽂혀 있어! 본체와도 연결되어 있다고! 아까 탄 냄새가 난다고 했잖아!』

아아, 그러고 보니 그랬던가.

느껴질 정도로 탄 냄새가 난다면 약간의 실수라는 건 아닌 것 같다.

“전원을 눌러도 반응이 없다고 했지. 잠깐 기다려봐.”

곤란할 때는 동료에게 부탁하는 법. 채팅을 통해 물어봤다.

◆루시안 : 아무래도 샐러맨더가…… 그 녀석의 PC가 사망한 모양이야.

◆아코 : 마, 망가진 건가요!

◆애플리코트 : 원래부터 구식이었건만 요즘 무리한 게 문제였나…….

◆루시안 : 그래서 전원을 눌러도 전혀 반응이 없다는데, 원인 알겠어?

◆애플리코트 : 무반응인가. 바이오스로도 가지 못하고, 램프도 들어오지 않고 무음 상태라는 건 아마 전원부가 원인이겠지.

흠흠. 그렇군.

"컴퓨터가 전혀 반응하지 않고, 빛도 들어오지 않고, 소리가 전혀 안 나?"

『맞아 맞아. 스위치를 넣어도 아무 일도 일어나지 않아!』

◆루시안 : 아무래도 그게 정답 같네. 어떻게 해야 하나.

◆애플리코트 : 이런 일도 있을까 해서 예비 파워 서플라이를 준비해놨다. 필요하다면 내일이라도 설치할 수 있다.

◆루시안 : ……왜 그런 걸 준비해놓는데?

◆애플리코트 : 원래는 부활동용이다. 전원은 망가지기 쉬우니 말이지.

마스터의 준비성이 너무 좋은 게 오히려 무서웠다.

하지만 파츠가 있는 건 다행이었다. 울 것 같은 세가와의 목소리를 듣고 있으니 더더욱.

"원인은 전원 같은데, 마스터가 예비 파워 서플라이를 갖고 있으니까 내일이라도 설치할 수 있다네."

『정말?! 좋았어. 내일 학교 끝나면 바로 와줘.』

"그래그래. 전해둘게."

나는 어째서 통역을 해주고 있는 걸까. 직접 마스터한테 말하라고, 같은 생각이 들었다.

◆루시안 : 내일 설치하러 와달라네.

◆애플리코트 : 알겠다. 그럼 내일은 전원 슈바인의 집에 가는 거로군.

◆아코 : 친구네 집에 놀러…… 두, 두근두근하네요!

아코의 두근두근 포인트는 그쪽인가.

◆애플리코트 : 일단 말해둔다만, 전원이 원인이라고 생각될 뿐 실제로는 어떨지 모른다. 가뜩이나 낡은 기체다. 과도한 기대를 하지 말라고 전해다오.

"내일 가겠지만, 고칠 수 있다는 보장은 없으니까 기대하지 말라네."

『크…… 뭐, 어쩔 수 없지. 낡은 거니까.』

최신 파워 서플라이니까 말이지. 호환이 되긴 하려나.

『그럼 그렇게 됐으니 부탁할게. 움직이는지 조금 더 시험해볼 테니까.』

자기 말할 것만 말하고는 뚝 전화가 끊겼다.

제멋대로인 녀석이라고 생각하지만, 이런 상황이니 그 마음은 이해할 수 있다.

컴퓨터가 망가지면 나라도 초조해진다. 누구라도 초조해진다.

◆루시안 : 근데…… 엄청 낡은 저 녀석의 컴퓨터를 생각해보면, 솔직히 불길한 예감이 드는데.

◆애플리코트 : 고쳐지지 않았을 때 슈바인은 괜찮을까?

◆아코 : 슈는 돈을 모을 수 있을까요?

야, 아코. 라이벌이라고는 하지만 그렇게 조금 기뻐하면서 말하면 안 돼.

"되살아나라! 샐러맨더 계획을 발동하겠어! 알겠지!"
"오!"
"피닉스하곤 다르니까 되살아나라고 해봐야……."
"되살아나면 피닉스라고 개명해줄 수도 있어."
개명 안 해도 돼.
다음 날 방과 후, 현대통신전자 유희부는 샐러맨더를 수리하는 도전에 나섰다.
전철을 타고 마에가사키에서 두 정거장. 언덕길 중턱에 있는 깔끔한 맨션.
"도어락이네요!"
아코는 맨션 입구의 문을 여는 세가와를 어째서인지 반짝반짝 빛나는 눈동자로 바라봤다.
"그야 그렇지만…… 너희 집은 뭔데? 아파트에서 살아?"
"이 녀석 집, 꽤 크더라."
"짜증 나."
"에, 에에엑."
단독 주택이든 맨션이든 아무래도 좋지만.
맨션 로비를 나란히 걸어가면서 문득 떠오른 걸 물어봤다.
"참고로…… 마스터네 집은 어떤 곳이야?"
약간 흥미가 있었지만, 마스터는 복잡한 표정으로 신음했다.
"한마디로 설명하기는 어렵다만……."

"설명이 어려운 집이라니 대체 뭔데."

정말로 무슨 집일까.

아무리 그래도 빌딩 한 채가 집 같은 건 아니겠지만.

아니겠지? 아니겠지? 아니라고 확실히 단언할 수가 없었다.

"어디 보자……."

마스터는 눈앞에 내려온 엘리베이터를 보면서 말했다.

"일단 엘리베이터가 있다."

"왜 집 안에 엘리베이터가 있는데."

"대체 뭐야 당신……."

"태어날 때부터 금수저! 시작부터 환생레벨 1이라니 치사해요!"

"그런 말까지 들을 정도인 건가?!"

엘리베이터를 타고 8층으로 올라갔다.

엘리베이터에서 내리자 눈앞에 『세가와』라는 문패가 붙은 집이 있었다.

"다녀왔습니다."

"어서 오렴."

세가와가 현관을 열고 말하자 안에서 목소리가 들렸다.

오, 어머니가 계시구나.

아코네 어머니는 상당히 익숙하지만 세가와네 어머니라고 생각하니 조금 쫄았다.

"어머, 친구니? 네가 친구를 데려오다니 얼마만인지 모르겠네.”

“남 듣기 안 좋은 소리 하지 마.”

남 듣기 안 좋은 소리는 아닌데. 우리 모두 집에 친구를 데려오면 똑같은 소리를 들을 테니까.

복도에 나온 세가와네 어머니는…… 오오, 작다…… 아코보다도 조금 작을 정도로 작았다. 그리고 드세 보이는 얼굴이 닮았다. 유전이었구나.

“처음 뵙겠습니다. 고쇼인입니다. 아카네 양과는 같은 부에서 활동하고 있고, 평소에도 여러모로 신세를 지고 있습니다.”

“타, 타마키라고 합니다! 앞으로도 오랫동안 잘 부탁드립니다!”

“딱딱한 인사 같은 거 안 해도 돼! 안녕하세요~ 라고 말하면 된다고!”

두 사람 다 당황했어!

아코만이 아니라 마스터도 친구가 없었지 참!

“재미있는 아이들이네~.”

허둥지둥하는 둘을 보고 세가와네 어머니가 키득키득 웃었다.

“아, 고양이! 고양이가 있어요!”

“포포리야. 남을 잘 따르는 애니까 옷에 털이 묻지 않도록 조심해.”

그렇게 대충 말하면서 세가와는 냉큼 안쪽 방으로 들어갔다. 저곳이 녀석의 방이군.

그나저나 포포리인가. 꽤나 밥을 많이 먹을 것 같은 이름이네.

“아, 안녕. 포포~.”

소리 없이 다가온 둥근 눈동자의 검은 고양이를 본 아코가 주저앉아서 눈을 맞췄다.

흑과 흑이라 상성이 좋아 보이네. 살짝 그렇게 생각했다.

아차, 그러고 보니 나만 인사를 안 했네.

“안녕하세요. 실례하겠습니다.”

고개를 숙인 나를 보고 세가와네 어머니가 빤히 묘한 시선을 보냈다.

“어머, 아카네가 남자를 데려왔네.”

“엑.”

나도 그런 틀에 들어가는 건가?

멤버들만 보면 여자 비율이 높은데요?

“너, 아카네 남자 친구니?”

“무서운 소리는 하지 말아주세요.”

무심코 즉답했다. 세가와가 어쩌니 하는 문제가 아니라, 아코가 무섭습니다.

이런, 초면인 분께 실례되는 행동을 했다.

“죄송합니다. 저기, 그건 아니에요. 제가 좋아하는 건 이쪽이거든요."

이쪽, 이라며 빤히 고양이를 바라보는 아코를 가리켰다.

"흐음, 저 아이니?"

"저 아이요."

소문의 저 아이는 조심조심 고양이에게 손을 뻗다가 고양이 펀치에 요격 당했다.

오오, 움찔하면서 털을 거꾸로 세우고 있네. 아코 말이야. 고양이가 아니라.

포포리는 유유히 몸을 쭉 폈다. 주인을 닮아서 거물이군.

"루시안, 맞았어요! 맞았다고요!"

"그래그래, 무서웠지?"

펄쩍펄쩍 뛰며 다가온 아코를 고양이 취급하며 쓰다듬었다.

"그러니까 괜찮습니다."

세가와네 어머니는 흐음 하고 납득한 모습이었다.

이상한 오해가 생기지 않아서 정말로 다행이다.

"그럼 다른 남자애들은 어떠니? 학교에서 남자 친구가 있는 거 아냐?"

"꽤 인기는 많은 것 같은데, 그런 이야기는 못 들었네요."

"음…… 우리 집안에는 숙맥이 적은데, 누굴 닮은 걸까."

그런 걸 저한테 물으셔도…….

"너희들, 놀지 말고 빨리 이리 와!"

안쪽 방에서 얼굴을 내민 세가와가 외쳤다.

"오냐. 그럼 실례하겠습니다."

"그래. 느긋하게 있다 가렴."

세가와네 어머니는 적당히 나긋나긋하게 말했다.

남의 집은 역시 진정이 안 되네.

의외랄까, 그렇지만은 않다고 할까.

세가와의 방은 들어가 보니 꽤 깔끔했다. 좀 더 너저분할 줄 알았는데.

단지 우리가 현관에서 이야기를 하는 사이 물건을 숨긴 낌새가 났다.

봐서 곤란할 물건이 있다면 빼아픈 꼴을 당하는 건 나이므로 오히려 다행이지만.

"……탄 냄새로군."

"이게 샐러맨더의 마지막 불꽃인가."

"마지막이란 소리 하지 마."

원래 있어야 할 여자아이의 냄새보다도 훨씬 진한 탄 냄새가 가득했다.

이거, 이 냄새를 보면 이미 틀린 거 아닐까…….

"일단, 샐러맨더는 이 아이인데."

"낡아!"

낡아빠졌어! 낡아! 진짜로 낡았어!

눈에 들어온 상자형 모니터 — 상자형 컴퓨터가 아니다.

상자형 모니터다 — 를 본 내가 무심코 외쳤다. 이게 현역인 건가, 이걸 쓰고 있었던 건가!

"이 컴퓨터로 잘도 LA가 돌아갔네."

"시끄러. 최저 설정이라면 가까스로 돌아간다고."

"OS는?"

"Me."

"일부러 설치한 거야?"

의도적으로 엉망인 걸 설치한 건가 싶을 정도다.

내 시선에 표정을 확 구긴 세가와는 파닥파닥 양손을 휘둘렀다.

"그치만 물려받은 거니까 어쩔 수 없잖아! 불만 있으면 오빠한테 말하라고!"

"오빠?"

아코가 반응했다.

아, 오빠가 있었구나. 세가와.

"오, 오오오오라비 거라고, 원래는! 그걸 물려받은 거야!"

"오빠가 있었군요."

외동딸이라서 부러워요, 라며 아코가 느긋하게 말했다.

그렇지도 않아. 호호호, 라고 답하는 세가와의 표정은 일그러져 있었다.

더 이상 말은 안 할게. 나도 여동생이 오빠라고 불러주지 않으면 쓸쓸하니까.

"아카네, 차 가져왔단다."

그런 목소리가 들린 뒤에 똑똑 노크 소리가 났다. 이 자유분방한 느낌, 세가와네 어머니다.

"문 앞에 놔줘!"

"열 때 쏟지 말렴. 전에도 쏟아서 복도가 질척질척……."

"안 한다니까! 됐으니까! 고마워!"

허둥지둥, 하지만 사알짝 문을 열어서 컵을 가져온 세가와는 허억허억 숨을 헐떡이며 엎어졌다.

"이러니까 타인을 집에 들이는 건 위험한 거라고…… 내 쿨한 캐릭터가……."

"한참 전에 붕괴한 캐릭터야. 봄까지였지."

그런 걸 애지중지하지 말라고.

"슈바인의 캐릭터성에 관해선 나중에 이야기하기로 하고."

계속 컴퓨터의 상태를 살피던 마스터가 양손에 드라이버를 들었다.

"일단 분해해도 될까?"

"그래야겠네."

"잘 부탁합니다."

세가와가 꾸벅 고개를 숙였다.

"그럼, 술식을 시작하지."

그런 말을 할 정도로 마스터는 손재주가 좋았다. 굉장하네. 우리가 할 게 없어.

왠지 그런 느낌으로, 마스터가 손쉽게 컴퓨터 본체를 열어 안을 들여다봤다.

"흠……."

나도 한 번 보기 위해 들여다봤다.

"어때, 할 수 있을 것 같아?"

"무리 같은데."

"포기하지 말라고!"

"하지만 말이다. 세가와."

킁킁, 코를 훔치며 냄새를 맡아보니—.

"명백하게 전원하곤 다른 부분에서 탄 냄새가……."

"으, 으음……."

"시끄러워! 교체하자고, 전원! 자아!"

"다른 부분에 문제가 있는데 전원을 교체하면 그쪽까지 문제가 퍼질 수도……."

"됐으니까 하자고오오오오!"

필사적이네ㅋ, 라고 웃을 수 없었다.

왜냐하면 여기서 고쳐지지 않으면 오늘 밤엔 온라인 게임을 못 하게 된다. 세가와에게는 사활이 걸린 문제겠지.

"할 수 있는 데까지는 해보마."

"알았어. 어어, 이 케이블에 맞는 소켓은 이거고, 그래픽카드 전원 소켓은…… 아니, 이 컴퓨터 그래픽카드가 없잖아…… 내장이야……."

어딜 봐도 게임용이 아니네.

"괜찮을 것 같아? 괜찮을 것 같아?"

모르겠으니까 좀 가만히 있어.

"포포리, 포포리, 이리 온~."

아코는 고양이와 놀고 있고…… 아니, 놀고 있어도 되지만.

"3, 2, 1."

"스위치 온!"

우우웅…… 뚝.

"재도전이야!"

"전원을 다시 꽂았어. 3, 2, 1."

"스위치 온!"

우우웅…… 뚝.

"다, 다시 한 번!"

"포기하라니까……."

"뭐야! 반응하잖아, 버튼 누르니까!"

확실히 일단 반응하긴 하네.

소리가 나고 바로 멈춘다는 반응이…….

"바이오스 설정까지 가지도 못하는데 어떻게 하라고……."

"그럼 뭐가 문제인데! 이건 대체 어디가 망가진 건데?! 마스터?!"

질문을 받은 마스터는 임종을 고하는 의사처럼 천천히 고개를 가로저었다.

"몇 군데인지는 모르겠지만— 최종적으로 확인하기 위해선 도구가 필요하겠군, 지금의 우리에겐 벅차다."

"그럴 수가…… 그럼 어떻게 해야 하는데? 그 망가진 부분의 부품을 하나씩 교환해?"

"이거 평범한 전자 제품 가게에서 산 거잖아. 게다가 낡았고. 커넥터와 상성이 엄청나게 안 좋다고……."

아주 옛날에 쓰던 파츠밖에 없다. 최신 부품으로 교체한다고 해서 과연 제대로 움직일지…….

"그, 그럼 수리를 보내야겠네!"

"이런 낡은 PC, 과연 원래 파츠로 수리해줄 수 있을지 모르겠군."

"돈이 엄청 많이 들지 않을까요?"

"아마 새로 사는 편이 싸게 먹히지 않을까."

아무리 AS기간이 길어도 다 끝나지 않았을까 싶은데.

결국 그게 타당한 선택일 것 같다.

"원래부터 컴퓨터가 있고, 새로 설치해도 혼나는 게 아니니까 사는 게 이야기가 빠르다만."

"으그그그그극."

"세가와, 예산은?"

"500엔 정도라면……."

하하하, 이 녀석. 무리인 것도 정도가 있지.

"왜 그렇게 빈곤한데."

"보스 사냥만으론 할당량이 어려울 것 같아서…… 뽑기를 조금……."

그러니까 뽑기는 그만두라고 했건만.

생활에 무리가 가는 과금을 하면 이렇게 된다.

"엄마랑 상담해볼게……."

시무룩하게 주저앉은 세가와의 손끝을 포포리가 가볍게 핥았다.

재가 되어버린 주인님은 그 정도로는 부활하지 않았지만.

††† ††† †††

다음 날, 학교 현관에서 신발을 갈아 신는데 초췌한 모습으로 등교한 세가와를 만났다.

"여. 부모님하고 이야기는 어떻게 됐어? 예산 늘었냐?"

"예산, 370엔."

"주스 마시지 말라고 멍청아!"

줄어들었잖아!

어이없어하는 나와는 대조적으로 세가와는 정말로 필사적이었다. 새파래진 얼굴로 내 팔을 붙잡았다.

"어떡하지. 응? 나 어떡해 루시안!"

"진정해! 여기는 학교니까, 너 평소에는 나를 루시안이라고 부르거나 울상 지으며 달라붙는 녀석이 아니거든!"

"왜, 왜 그래 아카네?!"

타이밍 좋게 아키야마가 다가왔다.

곧바로 나에게서 떨어진 세가와가 그쪽에 달라붙었다. 오오, 살았군 살았어.

"나 어떡해 나나코!"

"무슨 일인데? 니시무라한테 무슨 짓이라도 당했어?"

일단 나를 가해자로 몰면 된다는 발상은 좀 그렇다고 생각합니다.

"있잖아. 돈이, 돈이 필요해!"

"……저기, 응, 그건 알고 있는데."

아키야마가 또 그 이야기? 같은 표정을 지었다.

아니야. 지금 그 『돈이 필요해.』는 그런 레벨의 이야기가 아니라고.

"그게 아니라. 얘네 집의…… 그거, 컴퓨터. 망가졌거든."

후반은 조금 작은 목소리로 말했다.

누가 들으면 안 되니까.

"어라아, 그렇구나. 큰일이네."

"나 어떡해, 나나코!"

"어떡하냐고 물어봐도……."

조금 허공을 바라보던 아키야마는 눈을 살짝 뜨며 말했다.

"맞다. 부실 걸 들고 돌아가면 어때?"

"그렇구나!"

"야 그만둬."

그런 게 허락될 리가 없잖아. 그랬다간 혼날 거라고.

"그건 일단 비품이란 말이야. 이래 봬도 정규 부활동이니까."

"크윽…… 굉장히 좋은 생각이었는데."

"완벽하게 도둑이다만."

아무리 컴퓨터가 필요하더라도 역시 학교에서 문제를 일으키는 건 위험하다.

"그래서, 새 걸 사도 좋다는 말은 들었어?"

"응. 그건 괜찮대. 하지만 돈은 못 주니까 아르바이트라도 해서 스스로 사라고……."

흐음, 타당하긴 하지만 조금 애석하군.

역시 돈을 내줄 정도로 응석을 받아주진 않는 건가.

"새 걸 사는 거야? 좋겠다~."

아키야마는 사는 걸 전제로 생각하고 있는 모양이지만, 그 돈은 어디서 나오는데.

"사고 싶어도 그럴 돈이 없단 말이야……."

"회장님한테 빌리는 게 어때?"

"안 돼. 한 번 그래버리면 동료로 있을 수 없게 돼."

"그렇겠지."

그건 안 된다.

부실에 있는 게이밍 마우스가 설령 쓸모없어지더라도 가지고 돌아가선 안 된다.

왠지 모르게 그런 부분만은 제대로 생각하는 길드다.

"……그렇구나. 그럼 어쩔까."

"역시 아르바이트를 할 수밖에 없을지도. 저기, 나나코. 간단하고, 단시간에 가능하고, 그 자리에서 돈을 받을 수 있는, 게다가 엄청 많이 버는 일 같은 거 몰라?"

"어, 어어?!"

세가와가 매달리듯이 묻자 아키야마는 놀란 표정으로 나를 봤다.

왜 나를 보는데? 나는 상관없다고?

"저기, 그 일이라는 거…… 요컨대 남자를 소개해달라는…… 건, 아니지?"

"왜 그렇게 되는데? 어째서?!"

무시무시한 소리를 꺼내는구만!

"그치만! 아카네가! 간단하고 단시간에 끝나고! 그 자리에서 돈을 받을 수 있고! 엄청 많이 버는 일이라고 하니까!"

"아, 아니야! 지금 그건 내가 묻는 방식이 잘못됐지만, 그런 걸 찾는 게 아니란 말이야!"

"그, 그렇지? ……다행이다."

왜 둘 다 나를 보는데? 그러니까 나는 상관없다고.

하지만 미묘하게 거북해져서 고개를 돌렸다. 나는 아무것도 듣지 않았습니다.

"그, 그럼, 평범한 아르바이트면 되는 거지?"

"맞아 맞아. 선생님한테 혼나지 않을 만한 거."

"음, 친구한테 물어볼게."

"미안. 부탁해."

그런 부탁을 한 게 아침의 일이다.

그리고 방과 후, 부실에 훌쩍 나타난 아키야마는—.

"이 정도는 있는 모양이야."

그렇게 말하고는 메모 다발 같은 걸 책상 위에 올려놨다.

"뭐야 이거."

"아르바이트인데?"

"전부인가요?"

"응. 전부 전부."

어안이 벙벙해져서 바라보는 아코의 어깨 위에 손을 올려놓은 리얼충은 싱긋 웃었다.

그러자 아코가 바로 도망쳤다. 조금 쓸쓸해 보여서 딱했다.

"이거, 어디서 모은 거야?"

끌어안을 정도는 아니지만 상당한 숫자였다.

아르바이트 잡지에서 잘라 온 것부터 개인이 손수 쓴 메모까지 종류도 가지가지다.

"여기서 고르는 건가……."

"마음껏 고를 수 있네요."

“어차피 고르는 건 나뿐이니까 너희는 고를 필요 없잖아.”

왜 그렇게 남 일처럼 말하는데. 섭섭하게시리.

“혼자 짊어질 필요는 없다.”

“맞아요. 같은 길드 멤버잖아요!”

“네가 없는 사이에 우리만 놀고 있는 것도 싫지 않아?”

“다들…… 같이 노력해줄 거야?”

당연하지. 길드 멤버가 필사적으로 일하는 사이에 즐겁게 온라인 게임을 하다니, 그런 냉정한 짓은 안 한다고.

“역시 다들 동료구나.”

감동적인 장면에 아키야마가 고개를 끄덕거렸다.

그렇지? 그렇지? 우리는 일심동체의 동료라고.

“전원의 아르바이트비를 모으면 금방 살 수 있겠네. 아카네. 다행이야.”

“뭐?”

무슨 소리야? 전원?

“급료는 각자 가지는 거죠?”

“당연하지.”

“그렇지?”

아코도 마스터도 고개를 끄덕였다.

“어, 어어?! 아카네 컴퓨터 값이잖아?! 아카네한테 건네주는 거 아니었어?!”

왜 우리 아르바이트비를 세가와의 지갑에 넣어줄 거라 생각한 걸까.

“참 이상한 소리를 하시네요~. 아키야마는.”

“소재를 모으는 거라면 건네줘도 상관없다만, 현금이니 말이다.”

“저도 돈이 없어요.”

“그럼 무슨 의미가 있어서 다들 함께하는 건데……?”

“무슨 의미냐니…… 그야 성가신 퀘스트를 혼자서 하다니 불쌍하잖아.”

성가신 연속 퀘스트 같은 거 말이지. 혼자서 하면 재미없지만 모두 함께하면 재미있다고. 그러니 도와주면서 같이 하지만, 물론 퀘스트 보수는 각자의 것. 그런 느낌이다.

“그런 건가……?”

애석하군. 이해하지 못한 것 같다.

“그리고 원래 아르바이트에 흥미는 있었지만 혼자 찾는 게 무서웠으니 이번 기회에 경험하는 거지.”

“그것도 있죠!”

“아, 그쪽은 그나마 알겠어…… 응…….”

새 온라인 게임을 시작할 때도 모두 함께 시작하는 게 즐거운 법입니다.

문제의 세가와는 파닥파닥 아르바이트 일람을 넘기면서 괜찮아 보이는 아르바이트를 뽑아내고 있었다.

이렇게 많으니까 괜찮은 것도 있어 보이는데.

"용케도 이 정도나 모았네."

"아아, 응. 자기네 아르바이트생이 모자라다는 애들이 엄청 많았어. 어디든 인원 부족 같더라."

"그거 좋네. 누군가의 소개가 있으면 편하니까."

"어어, 그런가요?"

듣도 보도 못한 아르바이트에 응모하는 것보다 아는 사람의 소개가 있는 게 편하지— 라고 생각한 내 말에 아코가 즉시 이의를 제기했다.

어라, 이상한가? 보통 아니야?

"그치만 아는 사람의 소개라면 면접 같은 게 편해 보이잖아."

"하지만 싫은 일이 있어도 불만을 토하거나 그만둘 수가 없잖아요."

"그만두는 걸 전제로 생각하지 말아줄래?"

소개한 아키야마가 곤란한 표정을 짓게 되니까 그런 짓은 하지 말도록.

"으음, 하지만 나도 아르바이트 잡지 같은 걸 보고 전화하는 게 편할지도."

"진짜냐. 세가와라면 누군가의 소개를 받고 고를 거라 생각했는데."

"전화하는 것도 무서워요! 홈페이지에서 응모하는 편이……."

사람에 따라 꽤 다르구나.

상상만이긴 하지만, 나는 면접이라는 게 가장 무섭다.

이 녀석 우리 쪽에서 일할 수 있으려나? 라면서 가늠하는 거 말이야. 엄청 피 말리잖아.

거기에 플러스 보정이 걸리는 아는 사람의 소개는 엄청 도움이 된다고 생각해.

†검은 마술사† 씨네 길드에 들어가려고 했을 때도 면접에서 무서운 경험을 했지만, 만약 지금이라면 들어가고 싶다고 말을 거는 것만으로도 들여보내 줄 거라 생각하니까.

이런 건 큰 차이 아닐까?

"이런 걸 고르는 법은 사람에 따라 다르니 말이다. 가입할 길드를 찾을 때 지인의 연줄에 의지하든가, 게임 속에서 모집하는 사람에게 말을 걸든가, 공식 포럼을 뒤져보든가, 그런 차이다."

그런 건가. 면접이 무서운 나와, 붙임성이 좋아서 대화부터 스타트하는 걸 좋아하는 세가와, 어쨌든 접점이 적은 편이 좋은 아코로 갈리는군.

"그래서 무슨 아르바이트가 좋은데? 희망 사항은?"

세가와에게 묻자 곧바로 아코가 손을 들었다.

"아무것도 하지 않아도 돈을 왕창 받을 수 있는 일이 좋아요!"

"그런 일이 있겠냐. 그보다 아코, 혹시 있다면 소개해주라.”

“있을 리가 없잖아. 너 바보 아니야?”

희망 사항을 말하는 건 자유잖아.

그렇게 어이없다는 듯이 말하면 조금 슬퍼진다.

“……일단 자는 것만으로도 돈을 벌 수 있는 아르바이트라면 있다만?”

“에엑?! 그런 일이 있나요?!”

“음. 최신 약의 안전성을 인간을 상대로 확인하는 임상실험을 하는 아르바이트로군. 약의 투여만 받아들인다면 나중에는 자도 된다.”

의료 실험이잖아!

“마스터! 아코한테 의료 실험을 가르쳐주는 건 그만둬!”

병원에서 나오지 않게 된단 말이야! 곤란하다고!

“그거, 컴퓨터는 쓰게 해주는 건가요?”

“가져가면 쓸 수는 있겠다만…… 온라인 게임을 마음껏할 수는 없겠지.”

“……그럼 됐어요.”

아코는 매우 아쉽다는 듯이 포기했다.

위험했다. 아코한테 너무나도 잘 어울리는 일이라서 위험했다.

“애초에 미성년자는 못 하잖아.”

“왜 그런 걸 알고 있는데.”

"어제 휴대 전화로 조사해봤으니까."

이 녀석도 동류였나.

아르바이트라는 소리를 듣고 가장 먼저 의료 실험을 떠올리는 건 그만두자.

"조금 더 건전한 아르바이트를 찾자고. 온라인 게임 레벨업 대행 같은 거 없을까?"

"어디가 건전한데!"

수요와 공급이 맞아떨어지는 건전한 아르바이트 아니야?

이상한가?

"루시안, 계정 공유는 약정 위반이다."

"아, 그렇지. 맹점이었어."

"지적할 건 거기가 아니야!"

"타인의 레벨을 올릴 바에는 제 레벨을 올려주세요."

아코의 레벨을 올려줄 바에는 차라리 세테 씨를 보살펴주는 게 나을 것 같은데.

"아카네에게 맞는 일이라면…… 이거, 메이드 찻집 아르바이트 같은 것도 있어."

그리고 그 세테 씨가 제대로 된 의견을 냈지만—.

"그만두죠! 무조건 그만두죠!"

"응? 왜 경험자인 아코가 막는 거야?"

"그래서 그런 거라고요! 그건 트라우마였어요!"

"아코 군의 얼빵이 메이드 전설은 학생회실까지 닿더군."

"그래서 싫다고 했는데!"

딱하기 그지없었다. 아코가 아니라, 교내 전체에 퍼질 정도의 피해를 입은 손님이…….

"음…… 즐거워 보이고…… 메이드…… 고액…… 아, 괜찮을지도!"

그때 세가와가 한 장의 모집 광고를 펼쳤다.

자신만만하게 보여주는 만큼 분명 좋은 일이겠지.

"이거! 아키바 아르바이트고, 왠지 메이드 찻집 같은데, 내용이 즐거워 보여!"

"내용이 즐겁다니, 구체적으로 뭘 하는데?"

세가와가 반짝반짝 빛나는 눈동자로 말했다.

"메이드 차림을 하고 손님을 때리거나, 밟거나, 프로 레슬링 기술을 거는 거래!"

"……엥?"

얘는 대체 무슨 소리를 하는 거지.

굳어진 우리를 제쳐놓고 세가와는 기뻐하며 말을 이었다.

"그리고 고작 그것만 하는데도 시급은 이렇게 높아! 굉장하지 않아?!"

세가와가 장난으로 이런 소리를 할 리가 없으니까, 본심이겠지?

그건 뭔가 저기, 가끔 뉴스 같은 데서 나오는 위험한 가게라서 그런 게 아닐까.

"푸흡."

아, 마스터가 뿜었다.

"아카네, 그건 포기하는 편이 나은 것 같, 은데?"

아키야마도 웃음을 참으면서 고개를 저었다.

"그만, 그만둬 세가와. 루시안이 볼 때 그 아르바이트는 추천하지 않아."

"왜? 즐거워 보이고 단번에 벌 수 있고, 좋지 않아? 그치? 아코."

"와, 이쪽 아르바이트보다 세 배는 많은 시급을 주네요."

"거기다 플러스로 성과금도 준대. 게다가 고등학생 환영이라고 적혀 있어."

아니아니아니아니 안 돼 안 돼 안 돼.

친구로서, 동료로서, 결단코 추천할 수 없어.

"그건 정말로 그만두라고."

"그러니까 왜."

"……왜냐니, 그건."

비슷한 짓을 하던 가게가 경찰에 적발되었기 때문입니다, 라고는 입 밖으로 꺼내기 힘들었다. 왜 붙잡힌 거냐고 물어보면 곤란하니까.

아아, 정말. 조금은 뉴스 같은 걸 보라고.

저런 곳이 있는 탓에 오타쿠의 지위가 내려가는 거라니까.

"뭐랄까, 그런 게 있잖아. 값을 잘 쳐주는 아르바이트는 뒤가 구린 게 있다고.”

“그런 건 알고 있어.”

억지로 끄집어낸 변명으로 반론해봤지만.

“그야 다소 큰일이 벌어질지도 몰라. 하지만 일이잖아. 돈을 받고 일하는 거란 말이야. 조금 고생을 하더라도 이를 악물고 견뎌야 한다고. 짧은 시간 안에 컴퓨터를 살 수 있는 돈을 모아야 하니까 무리한 일은 각오한 바야!”

세가와는 의식 높은 학생 같은 소리로 단언했다!

그런 사나이다운 말은 이 타이밍에서 듣고 싶지 않았어!

그런 의미의 결심이 통하는 타입의 일이 아니라고 생각해!

아아, 정말. 이 바보를 대체 어떻게 하지.

“그럼 시험 삼아 해보죠!”

양손을 척 들어 올린 아코가 묘안이라는 듯이 말했다.

“시험 삼아? 시험 삼아라니 무슨 소리야?”

“루시안이 그렇게까지 말한다면 분명 좋지 않은 이유가 있는 거예요. 그럼 일하는 내용을 실제로 해보면 어떨까요.”

“아, 그거 좋겠네.”

킥킥 웃으면서 아키야마가 동의했다.

아, 이 흐름은 위험해. 기다려 기다려, 내가 실험대가 되어야 해? 진짜로?

“흐응.”

세가와는 잠시 고민했지만 결국 수긍했다.

"그러네. 일을 시작하고 나서 역시 무리였다고 생각되면 성가시니까."

"재미있겠군. 나도 하지."

웃던 마스터까지……. 당신 알고 있잖아. 이 아르바이트가 좋지 않다는 거.

하지만 뭐어…… 해보면 알 수 있으려나.

아니, 실험하기 전에 눈치채고 마지막엔 내가 걷어차이겠지.

그걸로 납득한다면 넘어가기로 할까.

††† ††† †††

"업무 내용 1, 손님에게 상냥하게 뺨를 때린다."

아키야마가 아르바이트 내용을 보면서 말했다.

어이, 처음부터 하드한데.

"요컨대 때리면 되는 거네. 그럼…… 아코, 한번 해봐."

"에엑."

지명당한 아코가 움찔거리며 몸을 뺐다.

"제가 루시안을 때릴 수 있을 리가 없잖아요!"

"예행연습이라고 생각하고 하면 되잖아. 이 바람둥이! 라고 외치면서."

"그렇군요!"

"그렇군요, 가 아니야. 납득하지 마!"

그보다 그런 터무니없는 예행연습을 하지 마!

필요 없다고, 그런 연습!

“그, 그럼 갈게요. 루시안.”

“하는 거냐…….”

아코가 조심조심 손바닥을 들어 올렸다.

설마 아코에게 얻어맞는 날이 올 줄이야.

“대충 봐주면서 해라.”

“네!”

눈을 감고 기다렸다.

두근두근, 가슴의 고동 소리가 직접 느껴질 정도로 커졌다.

“루시안은, 바람둥이!”

목소리와 함께 아코가 손을 부웅 휘둘렀고, 내 뺨에 충격이— 오지 않았다.

기다려도 기다려도 오지 않는다. 반대로 불안해졌다.

“……저기, 아코?”

살짝 눈을 떠보자, 아코는 그 자리에 주저앉아 있었다.

“역시 안 되겠어요…… 제가 루시안을 때리다니 그런 짓은…….”

“아, 그렇구나.”

“애초에 예행연습 같은 걸 해버리면 나중에 실제로 일어날 것 같아서 정말 하고 싶지 않아요.”

그건 있을 법했다. 그런 경우가 자주 있단 말이지.

만에 하나 적의 증원이 와도 전부 쓰러뜨리자! 라고 말하는 퀘스트, 반드시 증원이 오더란 말이지.

"나 참, 한심하네. 내가 시범을 보여줄게."

"어, 네가 할 거야?"

세가와에게 얻어맞을 이유는 전혀 없다만.

아코는…… 뭐, 여러모로 감수할 수 있는 이유가 있긴 하지만.

"괜찮아. 그다지 세게 하지 않을 테니까."

"때리려는 동작을 하면서 말해도 전혀 설득력이 없는데?"

"내 STR은 낮지만 DEX는 높으니까 크리가 터지면 아플걸."

"크리티컬을 노리지 말아줘!"

가뜩이나 무서운데!

하지만 말은 이렇게 해도 원래 세가와를 만류하는 게 목적이기 때문에 — 맞는 건 조금 아닌 것 같긴 하지만 — 감수할 수밖에 없었다.

"그럼 간다! 이 악물어!"

"젠장, 알았어!"

꽈악 어금니에 힘을 줬다.

세가와는 크게 오른손을 펼치고는—.

"이…… 변변찮은 놈!"

짜악! 하는 가벼운 소리와 함께 내 뺨을 때렸다—.

아파! 아니, 그렇게 무지 아프거나 그러진 않지만 왠지 순간적으로 꽤 아팠어!

"우와, 아프잖…… 으엑?!"

"벽창호!"

설마 하던 왕복?!

돌아온 손등에 오른뺨까지 맞았다!

이렇게 하는 건 못 들었다고!

"잠깐, 너."

"온라인 게임 폐인!"

쫘악! 귀가 아플 정도의 소리를 내며 다시 한 번 뺨을 맞았다.

아파아아아아아! 마지막 꽤 아프다고!

"괘, 괜찮나요. 루시안?!"

"괘, 괜찮긴 하지만…… 야, 세가와……."

그래도 진심으로 때린 건 아닌 모양인지 조금 시간이 지나자 아픔은 크지 않았고, 세가와의 작은 손의 감촉이 남은 정도였다.

하지만, 그렇다 해도 3연발은 대체 뭐야, 이 자식.

원망 섞인 시선으로 노려본 곳에 있던 세가와는—.

"아, 이거 위험하네. 엄청 후련해."

"후련해하지 말라고!"

왜 황홀하다는 표정을 짓는 건데?!

"거의 가버릴 뻔했어."

농담이라도 그런 소리 하지 말아줘. 부탁이니까.

"아니 그보다, 때릴 때 한 말은 대체 뭐야! 나는 게임 속에 신부가 있다고, 변변찮은 놈이라는 소리를 들으면 정신적으로 대미지를 입는단 말이야!"

안 그래도 요즘 점심밥 사정 탓에 꽤 신경 쓰는 사항인데!

"아니, 왠지 욕을 하면서 때려야 할 것 같아서."

"응, 욕을 하면서 하라고 종이에 적혀 있는데?"

그 손님은 대체 뭐 하는 초M인데!

우리 업계에서도 이건 포상이 아니야!

"말해두는데, 나는 벽창호도 아니야! 애초에 게임 온라인 폐인은 너도 마찬가지잖아! 아아, 정말. 전부 납득이 안 가!"

"저기, 루시안."

내 뺨을 문지르던 아코가 왠지 어두운 눈동자로 중얼거렸다.

"왠지 루시안을 때리는 예행연습보다, 이 도둑고양이! 라고 하면서 여자아이를 때리는 연습을 하는 편이 나은 것 같아요."

"엄청 잘 어울리니까 연습하지 말아줘!"

이상한 플래그는 안 세워도 돼!

“업무 내용 2, 손님을 상냥하게 밟는다.”

“대체 뭐 하는 업무야.”

그냥 지금 시점에서 이상하다는 걸 깨달으라고…….

“밟는 건가. 밟는 거라면 나군!”

저요 저요, 라는 듯이 마스터가 기뻐하며 손을 들었다. 왠지 조금 귀엽다.

“어, 그래?”

“왜 마스터인데요?”

그러나 세가와와 아코는 의아한 듯이 얼굴을 마주 봤다.

“어째서냐?! 우리 부에서 초S 캐릭터라면 바로 나 아니냐! 길드 마스터이자 부장이고 학생회장에다가 선배라고! 이미 다른 선택지는 없을 터!”

쇼크를 받은 마스터였지만, 두 사람은 역시 납득하지 않은 모양이었다.

“하지만 딱히 마스터한테 새디스틱한 이미지는 없는데요?”

“마스터는 뭐랄까…… 남들을 잘 보살펴주는 좋은 바보, 같은 느낌인데.”

초S와는 꽤나 동떨어진 이미지였다.

아아, 응. 솔직히 이해는 간다.

“바보…… 바보 캐릭터라니…… 나는 3학년 중에서 톱클래스의 성적이다만…….”

“성적 같은 게 아니라…… 확실히 INT는 높지만…… 맞다. 이미지가 바보! 같은.”

“이미지가 바보라고?!”

퍼억! 하고 무거운 타격음이 들린 것 같은 느낌이 들었다.

마스터가 크리티컬 히트를 맞은 듯이 경직됐다.

오, 오오, 아파 보이네. 왠지 굉장히 아파 보인다. 빨간 대미지 표시가 보일 것 같은 느낌조차 들었다.

“지금까지 들었던 말 중에서 가장 충격이군…….”

“아, 미, 미안! 그치만 저기, 루시안도 아코도 바보고, 우리 부에선 평범해!”

“확실히 아코도 세가와도 바보지만.”

“바보밖에 없네요!”

즐겁게 말하지 마, 바보.

“즐거워 보이네.”

바보가 아닌 아키야마가 어째서인지 소외감을 느끼는 수수께끼의 대화가 펼쳐지는 중이었습니다.

“으음…… 그렇다면 여기서 내. 진가를 발휘해야겠군. 나의 진정한 힘을 보도록 해라. 루시안, 미안하지만 거기 누워다오.”

진정한 초S는 거기서 「미안하지만」이라고 말하지 않는다고 생각하는데.

뭐, 순순히 털썩 엎드려 누웠다.

“이러면 돼?”

“그래. 아아, 루시안. 신발은 벗을 테니까 안심해라.”

“알았어. 언제라도 와.”

그러니까 진정한 초S는 거기서 신발 같은 걸 벗지 않는다니까.

만약 세가와였다면 희희낙락하며 흙발로 밟을걸.

아, 그런가. 우리 쪽 S캐릭터는 그 녀석이구나. 때리고 나서 기분이 좋아 보였고.

“그럼…… 실례하마.”

꾸욱 하고 작고 가느다란 뭔가가 내 허리 부근에 닿았다.

그리고 꾸욱꾸욱 가벼운 중압이 걸린다.

아, 밟히고 있네, 라는 걸 알 수 있을 정도로 작은 압력이다.

아프다기보다는 조금 기분 좋다.

“왠지 마사지 받고 있는 것 같은데.”

“그게 맞는 것 같아.”

감독인 아키야마에게서 OK가 나왔으므로 이게 정답인 모양이다.

어라, 의외로 나쁘지 않은 느낌이네. 친한 사람이 상냥하게 밟아주니 딱히 싫지는 않았다.

“이것이 남을 발판으로 삼는 감각인가…….”

"저기, 그쪽에서 이상한 감각을 체험할 필요는 없거든. 마스터."

"밟히고 있는 루시안 쪽은 어떠냐. 새로운 퀘스트를 수주받지는 않는 거냐."

"이상한 퀘스트를 시작하려고 하지 말아줘."

달성했다간 새로운 세계에 눈을 뜰 것 같잖아.

"괜찮아요. 루시안이 바란다면 저는 언제라도 밟아드릴 테니까요!"

"그런 배려는 필요 없으니까 잊어버려."

아코에게 진저리를 내면서 대답했다.

애초에 말이지. 세가와를 위해서 하고 있는 건데 마스터에게 밟히고 있다는 게 이상하다고.

그렇게 생각하니 왠지 열 받네.

"으그극…… 너무 그렇게 신 나 하면 나중에 마스터도 밟아줄 거야."

"호오?"

"게다가 신발 같은 건 안 벗을 거라고. 교복에 내 발자국을 선명하게 새겨주겠어."

"호, 호오…… 내 하얀 교복이 루시안의 발자국으로 더렵혀진다는 거냐……."

"……어라?"

저기, 마스터? 화 안 내?

엎드린 나는 마스터가 무슨 표정을 짓고 있는지 알 수 없었지만, 왠지 리액션이 예상과 달랐다.

좀 더 건방진 느낌의 대답이 올 줄 알았는데.

"그건 왠지 도착적(倒錯的)인 쾌감이 있을 것 같군. 기대하고 있으마."

"기대하지 마!"

이 사람은 분명 초M이나 다른 무언가야!

오히려 마스터가 새로운 세계에 눈을 뜰 것 같았다.

"으음, 역시 엎드린 루시안을 밟는 것만으로는 진정한 초S와는 다르지 않을까? 적어도 배를 꽉꽉 밟아주는 정도는 해야지!"

그때 아키야마가 그런 소리를 던졌다.

딱히 배든 머리든 밟아도 상관은 없지만.

"음, 그런가. 루시안. 이쪽을 돌아봐라."

"예이 예이. 마음대로 하시죠."

자포자기한 마음으로 빙글 몸을 돌려서 바닥에 누웠다.

이제야 나를 내려다보는 모두가 보였다.

바로 근처에는 조금 걱정스러워 보이는 아코와, 밟지도 않는데 괜히 눈을 빛내고 있는 세가와, 조금 빨간 얼굴로 나를 밟으려고 하는 마스터가 아래쪽에서 올려다보는 시점으로 보였다.

"자, 아무 데든 밟아……줘……."

아, 이건, 큰일 났네.

아무 생각 없이 누워선 안 되는 거였다.

당연한 일이었다. 왜냐하면 다들 교복이잖아. 스커트잖아.

지면에 누워서 위를 바라보면 안 되잖아. 그러면 이렇게 되잖아.

엄청난 게 전부전부전부 다 보이잖아.

"잠깐. 이건 안 돼. 무리, 안 됩니다."

"뭐가 안 되는데?"

아키야마만 조금 멀리서 히죽히죽 웃으며 보고 있었다.

계획대로! 같은 표정을 짓고 있잖아!

"타임, 스톱, 캔슬— 우왓."

일어서려던 내 상반신을 세가와의 다리가 돌려놓았다.

"캔슬은 불가능해. 기왕 이렇게 됐으니 나도 밟아봐야지. 아코도 한번 해봐."

"그, 그럼 조금만."

"후후후, 간다 루시안."

"잠깐, 그만둬. 너희들 다리 들지 마!"

보여! 보인다고! 그 이상 다리를 들며어어어어언!

"호오, 그렇게 싫어하면 그건 그것대로…… 뭔가 말 못 할 쾌감이 드는군."

마스터. 시커먼, 시커멓고 대담한 게 보인다니까! 학교에 대체 뭘 입고 오는 거야?!

"자~아 자~아, 밟히는 기분은 어때? 눈을 뜰 것 같아?"

아니야. 네 줄무늬 속옷으로 눈을 뜨는 건 또 다른 무언가야!

"이 부근이 기분 좋지 않나요? 루시안?"

평범하게 하얀 거라 안심했지만, 왠지 보여준다는 듯이 다가오지 말아줘, 아코!

"그만, 잠깐, 정말."

하얀 것과 줄무늬와 검은 것이 계속 힐끔거려서 머리에 피가 몰렸다.

그리고 다른 부분에도 피가 몰리고 있었다!

이걸 들켰다간 사회적으로 매장 당할 거야!

"우와아아아아악."

다리를 치워버리고 벌떡 일어섰다. 그 움직임으로 스커트가 크게 뒤집혔지만 깨닫지 못한 척을 하고 무릎을 끌어안아서 몸을 웅크렸다.

위험했다. 정말로 위험했다. 컨티뉴 할 수 없는 죽음을 당하기 직전이었다.

"왓…… 잠깐, 위험하잖아."

"미안하다. 지나쳤나 보군."

"……사과할 필요는 없어."

단지 잠시만 나에게서 떨어져서 내버려 두기만 해준다면야.

"어땠어? 루시안."

히죽히죽 미소를 무너뜨리지 않는 아키야마가 다가왔다.

너에게 해주고 싶은 말은 단 하나뿐이야.

“감사합니다.”

“천만의 말씀.”

완벽한 작업이었다.

감사는 제대로 말로 전해야 한다고 생각합니다.

“왜 감사하는데? 그렇게 밟히는 게 마음에 들었으면 스파이크로 밟아줄까?”

“시끄러. 줄무늬 팬티는 게임에서나 입으라고.”

“뭐어?! 잠깐, 뭘 보는 거야?!”

헉 하고 스커트를 누른 세가와가 슬금슬금 물러났다.

그러나 이제 와서 그런 짓을 해봐야 이미 늦었다.

“앗, 아아, 아까! 밟을 때 본 거지?!”

“깨닫는 게 너무 늦잖아…… 좀 더 수치심 같은 걸 느끼란 말이야.”

“평소라면 제대로 눈치챈다고! 너를 밟으니까 텐션이 올라가서 그런 거야!”

너 진짜 초S네.

“그리고 마스터. 잘 모르겠지만, 그 속옷은 교칙 위반이 아닐까 하는데.”

“아, 아아…… 그런가. 음. 조심하마.”

속옷을 되짜 맞고 조금 기쁜 듯이 쑥스러워하는 사람이

초S를 자칭하는 건 좀 아닌 것 같다.

"루시안, 두 사람 것도 본 건가요?!"

"아코, 넌 그거 때문에 화내는 거냐. 그보다 너는 알고 있었으면 좀 가려라."

친한 사이라도 그런 건 필요하다고.

"그렇게 됐으니 종합해서 말하자면."

나는 슬쩍 자세를 정좌로 고치고는 그대로 고개를 납작 숙였다.

"무심코 봐 버려서 정말 죄송했습니다!"

넙죽 엎드린 내 머리 위로 퍽, 퍽, 퍽 발이 떨어졌다.

밟히는 건 역시 아픕니다.

"업무 내용 3. 손님에게 프로 레슬링 기술을 건다."

"저기, 이제 그만해도 되지 않아? 위험성은 충분히 알았잖아?"

"원래는 메이드복이잖아. 그거라면 보이지 않는다고."

그럴지도 모르지만! 보이지만 않으면 괜찮은 게 아니라고!

좀 더 근본적인 문제를 깨달으란 말이야!

"그리고 프로 레슬링 기술을 거는 게 가장 인기라고 하는데?"

"봐. 손님은 너 같은 변태만 있는 게 아니라고."

"어딜 봐도 프로 레슬링 기술을 신청하는 손님 쪽이 위험한 녀석이잖아……."

어째서 내 의견이 통하지 않는 걸까.

게임 속이라면 조금은 발언력이 있을 텐데.

레벨인가, 레벨이 부족한 건가.

"그럼 내가 때리고 마스터가 밟았으니까, 마지막은 아코네."

"제가 하는 건가요?"

"호오, 부부끼리 프로 레슬링 놀이인가."

"그 말투는 다른 의미처럼 들리거든!"

그렇군, 같은 표정으로 말하지 마!

"아아, 정말…… 알았어. 아코라면 어차피 아프진 않을 테니까, 하자고. 근데 프로 레슬링 기술이라니 구체적으로 뭘 하는 건데?"

딱딱한 바닥 위에서 초보자한테 백드롭 같은 걸 당했다간 아무리 그래도 죽을 것 같았다.

"가장 인기 있는 건 피겨 포 넥 락이고, 두 번째가 팔 십자 꺾기, 세 번째가 삼각 조르기라는데."

"뭐가 뭔지 전혀 모르겠어요."

아코의 머리 위에 물음표가 떠올랐다.

우리의 머리 위에도 똑같은 것이 날아다닐 것 같다.

프로 레슬링 기술 이름 같은 건 들어도 모른다고.

"딱히 그게 아니라도 상관없잖아. 간단하고 알기 쉬운 걸로 해도 되지 않아?"

"예를 들어?"

"음…… 헤드록이라거나?"

"아아, 그 건둠 온라인의 회사인가요."

"아코, 스톱, 스톱!"

그게 아니야. 그게 아닌 녀석이라고.

"하는 법은 간단하지? 요컨대 상대의 머리를 이렇게 끌어안고—."

"앗, 야!"

내 뒤로 돌아간 세가와가 왼팔로 내 머리를 감았다. 그대로 꽈악 팔과 가슴으로 조인다.

"자, 이렇게 하는 거야."

"아파아아아아!"

꽈악! 조여들었다고! 아프다니까!

그렇게 느껴서 반사적으로 말하자 내 머리를 안고 있던 세가와가 우뚝 멈췄다.

"……뭐? 아파?"

"당연하지. 기술 들어가고 있으니까!"

나로서는 당연한 반론이었지만, 세가와의 팔에 점점 힘이 들어가서 아파아파아프다고!

"이 자세에서 딱히 큰 힘도 넣지 않았는데 아프다고? 아프다고 한 거야?"

"그치만 저기…… 앗…… 어, 아니……."

그, 그렇구나. 이제 와서 깨달은 거지만, 내 얼굴 오른쪽은 세가와의 몸에 닿고 있었지 참.

원래는 부드럽네~ 라든가 그런 리액션을 취해야 하는 건가.

"아니 저기, 하지만 말이죠. 실제로 기술이 걸린 순간부터는 단순히 딱딱하고 아파서—."

"난 그렇게 방어력을 올릴 생각이 없었는데에~? 이상하네~."

"무리무리 진짜로 아프다니까! 항복항복항복!"

내가 필사적으로 팔을 두들기자 세가와는 큰 한숨을 내쉬며 기술을 풀었다.

"우우, 머리가 쾅쾅 울려."

"나 참…… 이런 느낌으로 하면 되는 거야."

"요컨대 루시안의 머리를 꽈악 안아주면 되는 건가요?"

"그래그래."

정말로 그렇게 이해해도 괜찮은 걸까. 몸의 안전을 위해서 굳이 말하진 않겠지만.

"아코, 앞에서 해도 괜찮아. 프론트 헤드록이라더라."

"정면에서! 네!"

의욕이 넘쳐나잖아!

에에잇 나도 각오를 하자. 올 테면 와라!

"갈게요. 루시안!"

"와라!"

"에, 에잇!"

정면에서 다가온 아코가 내 머리에 팔을 둘렀다.

그대로 꽈악 가슴으로 당기며 꾸욱 힘을 주고— 물컹 소리가 났다.

"……왜 아프다고 말 안 하는데."

"그건 뭐라고 할까."

그야 아프지 않으니까. 그저 부드러울 뿐이고…….

"루시아~안."

하는 쪽도 꼬옥 안고 있기만 할 뿐이고, 이거 의미 없지 않아?

"야, 이거 프로 레슬링 기술이 되질 않으니까 다른 걸 하는 편이……."

"항복할 때까지 계속할 거예요."

"이 상태에서 어떻게 항복하라는 거야."

털끝만큼도 대미지가 들어가지 않는데, 오히려 엄청난 기세로 회복되고 있다.

하지만, 아아, 왠지 기분이 좋아졌다.

"꾸욱~, 꾸욱~."

엄청 기분 좋다. 이제 여러 가지 것들이 아무래도 좋아졌다.

따스하고, 부드럽고, 좋은 향기가 나고…… 그냥 이대로 있을까…….

"루시안이 함락됐군."

"약해빠졌네."

"프로 레슬링 기술로 함락된 느낌은 아니지?"

시끄럽습니다.

"자, 세가와…… 이런 짓은…… 하고 싶지 않지……?"

"너 대체 무슨 소리를 하는 거야……."

"네 아르바이트…… 아아…… 이거 위험……."

모두의 목소리가 점점 멀어져갔다. 몸에서 힘이 빠지고, 그저 아코만이 느껴졌다.

천국이, 여기에 있었다…….

덜컹, 하는 작은 소리가 들렸다.

"애들아. 부활동 잘 하고 있니?"

그런 고양이공주 씨의 목소리가 들린 것 같았다.

"아…… 하지, 않고 있네."

엄청 차가운 목소리가.

"선생님, 안녕."

"안녕이 아니야. 자, 떨어져 떨어져."

"아우."

느긋하게 인사를 하던 아코가 나에게서 떨어지고, 몽실몽실한 것이 몸에서 떠났다.

오오, 떨어지니까 점점 냉정함이 돌아오는군.

"오, 오오…… 위험했어…… 함락될 뻔했어……."

"넌 완전히 함락됐어."

"깔끔하게 당했었지."

파워가 아니라 육체로 승부를 걸어올 줄이야.

치사하군, 역시 나의 신부 치사해.

"뭐 하고 있었던 거니……."

고양이공주가 어이없다는 듯이 노려봐서 다들 조금 수그러들었다.

온라인 게임을 하고 있었으면 몰라도 전혀 상관없는 짓을 하고 있었으니까 거북한 마음도 생기고…….

"저기, 프로 레슬링 기술을 조금……."

"뭐? 지금 그게 프로 레슬링?"

내가 순순히 대답하자 선생님이 눈을 동그랗게 떴다.

"대체 어디가 프로 레슬링이었는데?"

내게서 떨어진 아코가 가슴을 펴고 대답했다.

"프론트 헤드록, 이에요!"

"……어디가."

"그, 그게."

날카로운 시선을 받은 아코가 움찔했다. 무슨 일 있나? 선생님. 갑자기 이렇게 나오다니.

……아니 잠깐. 그러고 보니 이 사람. 레슬링 동호회에 있었다든가, 그런 소리를 하지 않았었나? 래리어트 같은 것도 할 수 있었잖아.

“사실은 팔 십자 꺾기 같은 걸 하고 싶었어. 하지만 하는 법을 모르니까 헤드록이나 하면 되겠지 해서.”

“그게 어딜 봐서 헤드록인데. 정말…… 헤드록이라는 건 말이지.”

고양이공주 씨에게서 살기가!

반사적으로 도망치려던 나를, 그 이상의 속도로 포착한 두 팔!

“이렇게, 하는 거야!”

“으거어어어어억?!”

정면에서 엄청난 기세로 들이닥친 선생님이 내 머리를 붙잡고 그대로 꽈악, 아니 잠깐 아파아파! 잠깐 뭐야?! 대체 어느 타이밍에 기술이 걸린 거야?!

“고양이공주 씨! 아파요, 아프다고요!”

“그리고, 이게!”

“우와아아악.”

툭 다리가 걸려서 그 자리에 쓰러지자마자 선생님이 내 팔을 잡았다!

역시 이 사람, 남의 이야기를 듣지 않아!

잠깐 기다려요, 나는 초보자니까 진짜로 걸리면 몸이 못 버틴다고요!

“팔! 십자 꺾기야!”

“우어어어어어억.”

내 몸에 대체 무슨 상황이 벌어진 거야?!

정말 이런 걸 요청하는 녀석이 있나 싶을 정도로 엄청나게 아픕니다만!

“항복항복항복! 이제 무리예요!”

“프로 레슬링을, 얕보지 말라고!”

기합과 함께 고양이공주 씨가 한층 힘을 준 순간—.

뚝 하고, 뭔가가 어긋나는 소리가 내 팔에서 들렸다.

“앗.”

“……어머.”

“루시안, 루시안!”

흐려지는 시야 속에서, 리턴 투 세이브 포인트? 라는 선택지가 보인 것 같은 느낌이 들었다.

“체벌이에요, 선생님.”

“우리 고문이 폭력 교사였을 줄은 몰랐어.”

“이건 이사회에서 권고를…….”

“죄송합니다. 정말 죄송합니다.”

바닥에 정좌한 선생님이 싸늘한 눈으로 내려다보는 부원들에게 꾸벅꾸벅 고개를 숙였다.

“애초에 선생님, 레슬링하고 프로 레슬링 기술은 상관없는 거 아닌가요?”

“그건 취미로…….”

레슬링을 하는 사람은 프로 레슬링도 좋아할 것 같긴 하지. 응.

"자, 여러분. 고양이공주 씨를 괴롭히는 건 그만두자고."

"그치만! 루시안의 팔이, 팔이!"

아코가 울먹이는 얼굴로 말했지만— 그런 리액션은 그만두라고.

"왠지 내 팔이 돌이킬 수 없는 대미지를 입은 것 같잖아……."

부러지지 않았고, 관절이 빠진 것도 아니라고.

조금 아팠을 뿐이라니까.

"이렇게나 아픈데 왜 원하는 손님이 있는 걸까? 프로 레슬링을 좋아하나?"

"……무슨 소리니? 그보다, 아까부터 뭘 하고 있었는데?"

의아해하는 세가와를 본 선생님이 물었다.

"저희들, 아르바이트를 찾고 있거든요. 그랬더니 손님에게 프로 레슬링 기술을 거는 메이드 카페에서 모집을 하고 있어서요."

"……거기 가보겠다고?"

"시급도 좋고, 즐거워 보이고."

"이, 있잖니……."

선생님이 머리에 손을 대며 비틀거렸다.

"우리는 열심히 막으려고 했는데, 보시는 대로예요."

"잘 알았어……."

하아, 하고 어깨를 떨군 선생님을 보며 세가와가 울컥해서 입을 삐죽였다.

"뭐야, 선생님도 그쪽 편이야?"

"당연하지…… 있잖아, 저기…… 이거, 이거 보렴."

선생님은 컴퓨터 중 하나를 켜고 탁탁 조작해서 뉴스 사이트 페이지를 표시했다. 그곳에는 여고생에게 프로 레슬링 기술을 시키는 가게가 경찰에 적발되었다는 한심한 뉴스가 곳곳에 있었다.

"……거짓말. 이거 진짜야?"

"허구가 아닌 건 확실하군."

정말로 있었던 위험한 이야기, 같은 느낌이다.

"……확실히 이렇게 보니 프로 레슬링 기술은 위험하네. 거의 끌어안고 있잖아."

참고 사진을 보는 세가와의 얼굴이 새파래졌다. 조금 전 나한테 기술 썼잖아, 라고는 말하지 않았다. 쓸데없는 지뢰는 밟고 싶지 않습니다.

"너 인터넷 뉴스 같은 거 안 봐?"

"신문도 읽지 않는데 일부러 인터넷 뉴스 같은 걸 볼 리가 없잖아!"

자신만만하게 대답해봤자 보라는 소리 말고는 안 나온다만?

"비슷한 가게는 엄청 많지만, 그만두렴. 너희들은 돈으로 사고 팔 정도로 싸지 않단다?"

"잠깐, 위험한 길로 나아간다는 식의 설교는 하지 말아줘! 그럴 생각은 전혀 없었다고!"

"실제로 그런걸. 실험대가 니시무라였으니까 다행이지만, 모르는 아저씨한테 같은 짓을 할 수 있겠니?"

"……그보다 잘 생각해보니 니시무라한테 했던 것도 대실패였다는 기분이 드는데. 지금부터라도 돈을 받고 싶어."

"네가 멋대로 해놓고서 돈까지 달라는 거냐."

대체 얼마나 여왕님인데.

"어쨌든 이해해줬으니 다행이네. 너한테 악의가 없으니까 말하기 어려웠다고."

"아카네. 진심이었으니까……."

"프로 레슬링이라는 말을 듣고 야한 생각을 하는 쪽이 이상하다고!"

그건 지당하군. 응.

"루시안 루시안. 이 뉴스를 보니까 많이 번 사람은 한 달에 몇 십만 엔이나 벌었다고 하네요!"

"하지 마라. 절대로 하지 마. 약속이다, 아코."

"루시안 말고 다른 사람에게 그런 짓을 할 리가 없잖아요."

아코가 루시안도 참~, 이라고 사뭇 당연한 듯이 말했다.

실험해보자는 말을 꺼낸 건 너잖아.

전부 알고서 싱글벙글 웃으며 편승했던 아코가 가장 악질적이지 않나 싶은 기분이 들었다. 이 녀석, 단순히 스킨십을 하고 싶었던 거 아닌가.

"마에가사키는 아르바이트 금지는 아니니까 하고 싶다면 상관없지만…… 평범한 아르바이트로 하렴. 이상한 아르바이트는 학교도 허가를 내주지 않을 테니까."

"평범한 아르바이트라고 해도……."

"애초에 일하고 싶지 않은데요?"

"슈바인도 누군가의 밑으로 들어가는 건 괴롭겠지."

"너희들은……."

선생님은 두통을 느끼는지 이마를 짚으면서 아르바이트 메모를 잡고는—.

"너희들의 적성을 생각하면…… 이거랑, 이거랑, 이거네."

파팟 하고 몇 가지 메모를 뽑아서 각자의 손에 넘겨줬다.

"타마키는 주부 지망이지? 파트타이머 주부가 할 것 같은 하루만 하는 가벼운 일이야."

"주부가 할 것 같은 일! 괜찮네요!"

아, 이 사람 아코 다루는 게 능숙한데? 바로 납득시켰어.

"고쇼인도 평범한 생활이 어떤 사람들의 손에 의해 유지되는지 자신의 눈으로 확인하고 오렴."

"……그렇게 말씀하시면 거절하기 어렵습니다만."

마스터도 마지못해 받았다.

"세가와는 붙임성이 좋으니까 이런 일이 좋지 않을까?"

"뭐어, 안전하다면야 뭐든 상관없지만."

자기 일을 고르는 센스에 불안감을 느낀 모양인지 세가와도 순순히 메모를 봤다.

굉장하다. 그렇게나 질질 끌었는데 순식간에 이야기가 정리됐어.

고양이공주 씨, 역시 범상치 않군.

"그리고 니시무라는 이거네."

"일용직인가요……."

돈 없는 고등학생으로서 당일에 돈을 받는 건 고맙긴 하지만.

아르바이트, 아르바이트라…… 처음 하는 일은 역시 불안하네.

††† ††† †††

"아르바이트를 하기로 결정됐으니 서로 힘내자."

뚜벅뚜벅 귀로를 밟으면서 그렇게 말하자 아코는 조금 미묘한 표정으로 입가에 손을 댔다.

"냉정해진 뒤에 생각해보니까, 일을 하는 건 역시 터무니없네요."

"하루만이니까 참을 수 있지 않을까."

그래도 세가와를 따라 하는 거나 다름없으니 지금이라도 거절할 수 있을 것 같지만.

"뭣하면 그만둘래? 아직 늦지 않았잖아?"

"우우…… 하지만 슈 혼자서 힘내라고 하는 것도 좀 그래서요."

"그 녀석의 문제니까 아코가 무리할 건 없다고 보는데."

하지만 아코의 동료 의식은 소중히 하고 싶다.

자신을 위해서는 전혀 노력하지 않는 우리지만, 동료를 위해 노력할 수 있다면 그것도 나름 괜찮지 않을까.

"그다지 남과 엮이지 않는 가벼운 일이잖아. 아코에게 어울리지 않아?"

등을 밀어주려고 했지만 아코는 어두운 오라를 화악 내뿜었다.

"남과 엮이지 않는 것만으로는 부족해요. 좀 더 얼굴이 보이지 않는 일을…… 수수께끼의 봉제 인형옷을 입은 느슨한 캐릭터 『아코시』 같은 느낌으로 일하고 싶어요."

"어디의 느슨한 캐릭터인데? 온라인 게임의 느슨한 캐릭터?"

"아코시!"

이상한 울음소리를 내지 마라. 조금 귀엽다고 생각해버리니까.

"네 머리가 느슨한 캐릭터인 건 넘어가고."

"머리가 느슨한 캐릭터라니 무슨 의미인데요?!"

"넘어가고."

억지로 이야기를 진행시켰다.

"뭐, 아르바이트 같은 건 아무 책임도 없고, 하루만 하는 일이잖아. 신경 쓰인다면 해보는 게 낫지 않을까? 특히 지금은 돈이 필요하니까."

"그러네요. 돈이 필요하죠."

아코가 고개를 끄덕였다.

애초에 점심밥조차 거를 정도로 빈곤하니까. 긴급 사태이긴 했다.

"그리고 말이지. 온라인 게임 폐인이 정신을 차리니 아르바이트 폐인이 되어버리는 일도 가끔은 있어."

"어라, 그런 일도 있나요?"

있단 말이지. 의외지만.

"그 이유는 말이지. 리얼 머니와 게임 머니의 화폐 가치 차이에 있어."

"현실 돈이랑 게임 돈은 교환 못 하잖아요?"

아코가 몸을 완전히 내 쪽으로 돌리며 말했다. 제대로 앞을 봐. 넘어진다?

"기본적으론 그렇지. 하지만 공식 현거래가 있는 LA처럼 실질적으로는 게임 머니를 리얼 머니로 살 수 있는 게임도 꽤 많아."

가령 공식 현거래가 없더라도 비공식 현거래를 하는 무리도 있으니까. 일단 그런 건 제외하더라도.

"그리고 그러면 문제가 되는 게 시급이야. 아코가 슬리퍼 선생님을 사냥하면— 어, 솔로라면 한 시간에 얼마나 벌 수 있을까?"

"혼자라면 시간이 걸리지만 일단 3M 정도는 될 것 같아요."

"오오, 꽤나 버네."

그렇지만, 과연 그 돈이 정말로 많은가 생각해보면—.

"게임 밖에서 아르바이트를 할 때…… 뭐, 아코가 굉장히 노력해서 시급 천 엔을 받았다고 치자."

"평범한 아르바이트로 그렇게 받을 수 있나요?"

"아코가 노력하면 받을 수 있을지도 모르잖아. 뭐, 계산이 편하니까 천 엔으로 하자고."

밝고 애교 넘치게 행동하면 간판 아가씨로 고용될 것 같으니까. 그런 아코는 이미 아코가 아닌 것 같지만.

"그렇게 한 시간에 천 엔을 받고, 학교가 끝나고 나서 다섯 시간 일하면 5천 엔이 되지. LA 공식 패키지를 하나 살 수 있는 액수야."

"그렇게 되네요."

"그리고 그 특전 아이템을 게임 속에서 팔면 거의 100M

이 돼."

"……그렇다는 건."

아코도 깨달은 모양이다. 이 시급 계산의 구조를.

"맞아. 놀랍게도, 게임 머니로 환산하면 시급 20M을 달성할 수 있다는 거야. 페인 플레이어라도 간단한 액수가 아니라고? 이야, 굉장하네."

"그건…… 뭐랄까, 저기…… 충격적인 계산이네요."

"슬리퍼 선생님의 악몽을 꾸면서 줄곧 싸워나갔던 일곱 시간이, 아르바이트 한 시간과 대등해지는 거니까."

한 시간의 노력이 아르바이트 10분과 가치가 같다는 소리를 들으면 역시 조금은 동요하는 것이 인지상정이지.

"우우…… 왠지 납득이 가지 않는 것 같아요. 저는 꿈속에서도 괴로워했다고요."

"마음은 잘 알지만, 역시 현실은 비정한 법이야. 그러니까 레벨이 올라가서 경험치에 매력을 느끼지 않는 미들 클래스의 페인은 차라리 일을 하면 간단하겠다는 발상을 하게 되는 거지."

"그리고 아르바이트 페인으로…… 인가요."

그렇군요. 라고 아코가 고개를 크게 끄덕였다.

"공식 현거래도 사도다! 라는 층도 꽤 많고, 과금하지 않기 때문에 재미있는 거라는 층도 많지만, 역시 사회인 플레이어는 시간을 돈으로 사는 사람도 있어."

딱히 어느 쪽이 정의라는 건 아니다. 게임이 싫어질 정도로 필사적으로 벌어봤자 주객전도니까.

"나도 고등학교에 들어가고 나서 아르바이트를 하자! 라고 결심한 시기가 있었지……."

"어째서 하지 않았나요?"

"아르바이트 같은 걸 했다간 게임을 할 시간이 줄잖아."

"커다란 모순이네요?!"

딱히 나는 게임 머니를 늘리기 위해서 게임을 하는 게 아니라고.

즐거운 게 가장 중요하니까. 그것 말고는 전부 덤이야.

"아무튼 지금은 돈이 필요한 상황이니까, 지금이라면 괜찮다고 생각하지만 말이지."

"흠흠…… 알겠어요."

아코는 힘차게 고개를 끄덕이고는 탁탁 뛰더니 내 앞에 섰다.

"제가 루시안의 신부로서 열심히 집 계약금을 마련할게요!"

아코가 의욕을 내며 그렇게 말했다.

그 마음은, 기쁘긴, 하지만—.

"그건 싫은데……."

"어째서인가요?!"

완벽하게 기둥서방 취급이잖아.

아무리 그래도 아코한테 빌붙는 건 한심해서 싫어.
자, 그럼. 내일 아르바이트. 나도 열심히 해야지.

††† ††† †††

"지, 지쳤어……."
휴일을 소모해서 꼬박 하루 동안 일을 했다고 이렇게나 지치다니, 생각도 못 했다…….
한 걸음 어른이 된 기분이 드는데, 후헤헤…… 같은 생각을 하면서 LA를 켰다.
◆아코 : 루시안!
◆루시안 : 오, 돌아왔냐.
아코도 마침 로그인을 한 무렵이었다.
도망쳤으면 어쩌나 싶었는데, 아코도 해낸 것 같아서 다행이었다.
평소처럼 가게로 향하자 기다리던 아코가 뛰어들었다.
◆아코 : 열심히 했어요오오, 저 열심히 했어요오오오.
◆루시안 : 그래, 제대로 일하고 온 것 같네. 나도 지쳤어.
달라붙는 아코에게 옳지옳지 하며 쓰다듬어줬다.
그저 감정 표현 동작이지만 일상에서 자주 쓰는 탓에 왠지 모르게 감촉이 상상되고 마는 것이, 나도 꽤 아코에게 영향을 받고 있는 것 같네.

◆루시안 : 그쪽 일은 어땠어? 혼나거나 하진 않았어?

◆아코 : 거의 누구와도 이야기를 하지 않아서 그건 괜찮았는데요…….

그런 점에서는 이상적일텐데, 어째선지 아코는 굉장히 떫은 얼굴로 말했다.

◆아코 : 일이 꽤 힘들어서…….

◆루시안 : 그렇게 힘들었어? 대체 뭘 한 건데?

◆아코 : 그게…… 생선회 위에 민들레를 올려놓는 일을…….

◆루시안 : ……뭐?

생선회 위에 민들레……라고?

◆아코 : 그러니까, 생선회 위에 민들레 조화를 놓는 일이에요.

◆루시안 : 실존했단 말인가…….

그보다 그거, 민들레가 아니라 국화 아니야?

그건 그렇고, 그런 일은 도시 전설인 줄 알았는데.

기계가 해도 되지 않아? 왜 인간이 하는데?

……아니, 그런가. 일부러 조화를 놓는 기능을 붙이거나, 기계를 살 바에는 인간에게 시키는 편이 싸게 먹히나.

◆루시안 : 그, 근데 그게 어디가 힘든데? 편하지 않아?

◆아코 : 힘들어요! 힘들지 않을 리가 없잖아요!

아코는 쿵쿵 책상을 내려치는 동작을 취하며 필사적으로

뭔가를 호소했다.

◆아코 : 컨베이어 벨트에 흘러가는 생선회 위에 줄곧 민들레를 놔야 한단 말이에요.

◆아코 : 처음에는 생각 없이 하면 되지 않을까 생각했는데, 집중하지 않으면 놓는 걸 잊어버려서 혼나니까 결국 하나씩 세면서 해야 했다고요.

◆아코 : 생선회가 하나, 생선회가 둘, 생선회가 셋, 이렇게 세면서 계속 민들레를 놓다 보니까 점점 생선회 팩이 슬리퍼 선생님으로 보였어요.

◆아코 : 그러다 보니 마치 화면 너머에서 저를 조작해서 작업을 시키고 있는 게 아닌가 하는 기분이 들어서.

◆아코 : 민들레 바구니 속에 민들레가 몇 개 있는지를 인벤토리에서 확인하려고 하거나.

◆아코 : 하나 놓을 때마다 퀘스트가 얼마나 진행되었는지 퀘스트 창을 열어보려고 하거나.

◆아코 : 최종적으로는 옵션을 열어서 로그아웃하려고 했는데 로그아웃 표시가 뜨지 않아서, 이게 바로 설마 하던 데스 게임인가 싶어 혼자 새파래지거나 해서!

◆루시안 : 알았어. 힘들었던 건 알았으니까 일단 진정해.

노도의 연속 채팅으로 채팅 창이 엄청났다.

지금까지 아코가 이렇게 필사적으로 채팅을 한 적이 있었을까.

그렇게나 힘들었구나. 생선회에 조화를 올리는 아르바이트.

◆루시안 : 온라인 게임 플레이어라면 단순 작업에는 익숙할 텐데 말이지.

◆아코 : 게임에서 인간 봇이 되는 거랑 자기 몸이 봇이 되는 건 역시 차이가 있더라고요…….

그, 그렇구나. 의외로 다르구나.

◆아코 : 하루만 해서 다행이에요. 며칠 더 했다면 제 마음은 기계로 변했을 거예요.

◆루시안 : 아르바이트는 무시무시하네.

아르바이트라고는 해도 얕볼 수 없을 정도로 어렵구나.

그때, 슈와앙 하는 효과음과 함께 캐릭터가 로그인했다.

◆애플리코트 : 돌아왔다. 자, 시세 체크다.

◆루시안 : 어서 와.

◆아코 : 어서 오세요.

돌아온 사람 제2호는 마스터였다. 일단 시세 체크부터 들어가는구나.

◆루시안 : 어땠어? 일은 괜찮았어?

◆애플리코트 : 꽤나 보람이 있었다.

겉으로 보면 평범하다고밖에 보이지 않는 마스터의 채팅이 날아왔다.

◆애플리코트 : 생선회에 무채— 말하자면 곁들이는 채소를 놓는 작업을 했지. 무채를 흘러오는 생선회 접시에 계속

놓는 거다.

◆아코 : 저보다 조금 앞의 작업이네요!

같은 라인에서 일했나 보다.

역시 그것도 사람이 하는구나.

◆루시안 : 그보다 그거, 보람이 있어?

◆애플리코트 : 말로는 간단해 보이지만, 그렇지도 않다.

◆애플리코트 : 곁들이는 양은 하나당 2그램으로 확실히 정해져 있는데, 처음에는 어떻게 하더라도 1.5그램에서 2.5그램 정도로 어긋나더군.

◆애플리코트 : 그런데 작업을 계속 하다 보니 점점 스킬이 상승해서 보지 않아도 정확히 2그램을 놓을 수 있게 되었다.

◆애플리코트 : 현실에서 점점 스킬이 올라가는 것을 알 수 있는 거다. 이거 꽤 재미있지 않나?

◆루시안 : 허, 허어.

손끝으로 2그램을 잴 수 있게 된 건가.

물론 굉장하다고 생각하지만, 일상에서 도움이 되는 스킬은 아닌 것 같은데.

곁들이는 채소 계량 스킬 레벨 10이라든가…… 의미 없지 않아?

◆아코 : 루시안도 비슷한 곳에서 일했죠? 어땠나요?

◆루시안 : 묻는 거냐…… 그걸 물어보는 거냐…….

내 아르바이트가 어땠는지, 물어보고 말았구나. 아코…….

◆애플리코트 : 그렇게나 힘들었나?

◆루시안 : 힘든 건 거의 없었어…… 작업은 간단했으니까.

내가 하던 작업은, 이거다.

◆루시안 : 페트병 감시야.

잠시 채팅창이 멎었다.

그리고 조심조심 마스터가 물었다.

◆애플리코트 : 페트병이라는 건, 놓아두면 도망치기라도 하는 거냐.

◆아코 : 역습의 페트병, 같은…….

대체 어느 마이너 퀘스트야.

정말로 그저 흘러가는 페트병을 보고 있었을 뿐이야.

◆루시안 : 벨트 컨베이어 위를 흘러가는 것들 중에 가끔 쓰러지는 게 있으니까, 다음 기계로 들어가기 전에 바로잡는 거야. 일은 그것뿐이었어.

내용을 설명받은 뒤에는 휴식 시간까지 계속 방치되었을 뿐이었다.

나라도 가능한 일이라는 점에서는 좋았다.

기계가 할 수 없는 것을 하는 게 아니라 기계의 미스를 고치는 업무라는 것도 실제로 해보니 꽤 심오했다.

◆아코 : 간단해 보이네요. 보고 있을 뿐이잖아요?

◆루시안 : 내용 자체는 그렇지.

아코가 상상하는 것보다 세 배 정도의 속도로 흘러갔지만.

뭐, 보고 있을 뿐이니까 남들 눈에는 편하게 보이겠지만 말이지.

◆애플리코트 : 오히려 기계 장치인데 쓰러지는 경우가 있긴 하는 거냐?

◆루시안 : 꽤 쓰러지더라. 대략 350에서 680개 중에 하나는 쓰러져.

◆아코 : 세, 세고 있던 건가요?

깜짝 놀랐다는 느낌이 글에서 전해져 왔다.

◆루시안 : 너무 한가해서 그것 말고는 할 게 없었다고. 처음 올 때 약간 틀어진 병을 보고 그게 쓰러질지 말지 마음속으로 내기하는 것도 즐거워지더라.

◆애플리코트 : 쓰러질 것 같으면 그 전에 먼저 고치면 되는 일 아니냐.

◆루시안 : 마스터는 바보네. 먼저 고쳤다간 다음에 기다리는 사람의 일이 사라지잖아?

◆애플리코트 : ……루시안도 큰일이었군.

맞아. 큰일이었다고.

흘러오는 페트병에 눈이 침침해져서 어째서인지 눈물이 멈추지 않았다니까.

◆애플리코트 : 결론적으로, 난 두 번 다시 가지 않겠다. 일용직이라 정말 다행이로군.

◆아코 : 그러네요. 아르바이트 같은 건 이제 두 번 다시

안 갈 거예요!

◆루시안 : 그렇지!

캐릭터가 미소를 짓는 그 뒤편에서 썩은 동태눈을 하고 키보드를 치는 두 사람이 보이는 것 같았다. 애석하지만 우리는 아르바이트에서 탈락이다.

◆아코 : 일하고 싶지 않소이다! 절대로 일하고 싶지 않소이다!

◆루시안 : 같이 탈락한 내가 말하는 것도 그렇지만…… 언젠가는 일하자.

◆아코 : 싫어요! 이 이상 했다간 제 수명이 스트레스로 홋하라고요![#6]

◆루시안 : 여러모로 섞여 있다만.

자자, 오늘은 무리였지만 내일은 힘내자.

오늘 이기지 못한 몬스터라도 레벨을 올리면 내일은 이길 수 있을지도 모르니까.

절대로 도전하고 싶지 않은 적도 있긴 하지만.

◆루시안 : 그러고 보니 슈바인은?

◆아코 : 슈도 어딘가에서 아르바이트 시작했죠? 하지만 그래도 지금쯤은 돌아오지 않았을까요?

식사 전에, 목욕 전에 일단 로그인은 한다! 라는 타입의

#6 스트레스로 홋하라고요 일본 인터넷상에서 컬트적인 인기를 끌었던 괴인 부론트 씨의 어록 "이대로 가면 내 수명이 스트레스로 마하인데."에 게임 몬스터 헌터 프론티어에서 캐릭터 음성 중 하나인 "홋하!"가 섞임.

녀석인데 말이지. 표시는 AFK라도 조만간 돌아온다는 걸 아니까 계산에 넣기 쉽다.

◆애플리코트 : 너희들, 우리가 대체 뭘 위해 일했는지 기억하고 있는 거냐?

◆루시안 : ……아아, 망가졌었지.

그러고 보니 그랬다.

그 녀석의 컴퓨터는 망가졌으니까 밤이든 휴일이든 기다려봐야 접속하지 못하는구나.

◆아코 : 슈가 있는 게 일상이라서 완전히 잊고 있었어요.

◆루시안 : 있는 게 당연했으니까 말이지.

◆애플리코트 : 한발 먼저 사냥터에 도착해서, 너희들 늦어! 라고 말하는 남자였으니.

◆루시안 : 입으로는 그런 소리를 하면서도 가는 길에 있는 적을 청소해서 안전을 확보해주고 있었으니까.

◆아코 : 지쳤다~ 라고 생각할 때 조금은 쉬게 해달라며 대신 말해주는 게 슈였어요.

잠시 추억을 풀어놓았다.

생각한 것을 그대로 슬쩍 적었다.

◆루시안 : ……역시, 쓸쓸하네.

◆아코 : 돌아와 줬으면 좋겠어요.

◆애플리코트 : 그래. 그렇군.

◆아코 ……하지만 아르바이트는 싫어요.

◆애플리코트 : 그도 그렇군.

◆루시안 : 어쩔까.

참으로 곤란한 이야기였다.

그 녀석, 오늘은 무슨 일을 했을까.

그런 이야기를 가볍게 물을 수 없다는 것만으로도 왠지 매우 아쉬웠다.

"인터넷 카페 아르바이트야."

월요일 방과 후, 너는 무슨 일을 해? 라고 물은 나에게 세가와는 컴퓨터 — 부실의 워 머신 — 에서 전혀 눈을 떼지 않은 채 말했다.

"토요일에 면접을 보고, 일요일부터 바로 일했어. 내 특기 분야라는 건 확실하네. 일하기 쉬운 건 틀림없어."

오호라, 인터넷 카페인가.

아르바이트를 한다는 것만으로 정체를 들킬 위험도 없고, 꽤 괜찮을지도.

"그렇군. 슈바인의 전문 분야구나."

"근데 힘들어. 눈앞에 컴퓨터가 있는데 LA를 못 하니까. LA를 하는 사람이 있는데 나는 못 하잖아. 그리고 집에 돌아가도 컴퓨터는 망가져 있고…… 완전 미칠 것 같아."

대화를 하면서도 전혀 모니터에서 시선을 떼지 않는 세가와를 보니 현재 진행형으로 꽤나 미쳐가고 있는 게 아닐까 불안해지는데, 괜찮을까.

"오늘은 휴일이니까 사냥할 만큼 사냥해둬야지. 이렇게 보스를 노리는 것도 오랜만이고, 예정이 엉망진창이야…… 앗! 좋았어, 세실 MVP!"

"오, 드롭 아이템은 뭔데?"

"어어…… 나왔어. 한 손 검이야! 이게 문 라이트라면 한 방에 할당량 달성이야! 잠깐 감정 받고 올게!"

"배틀 나이프가 되는 빔이에요!"

"오우거 클로가 되는 빔이다!"

"그만해! 이건 분명 문 라이트야! 이걸로 내가 톱이— 아니잖아! 역시 배틀 나이프였어! 싫어어어어어어, 어째서어어어어어!"

"꼴좋다! ……가 아니라, 그렇구나. 너도 진지하게 아르바이트를 하는 거구나."

컴퓨터를 사기 위해서는 어쩔 수 없겠지만, 역시 아쉽다.

밤에 로그인해도 슈바인이 없다. 어제도 느낀 거지만, 그건 쓸쓸했다.

"나도 일하고 싶은 건 아니지만, 지금은 어쩔 도리가 없어. 길드 하우스 쪽은 조금 험난한 싸움이 되겠지만…… 그보다 중요한 것도 있으니까."

조금 체념을 담아 말하는 그 표정을 보니, 세가와도 마찬가지로 쓸쓸함을 느끼고 있는 것 같았다.

"하지만…… 왠지 굉장하네. 일용직도 아닌데 면접을 본 다음 날부터 일하는구나."

"평범한 거 아니야?"

세가와는 당연하다는 듯이 말했지만, 이쪽에서 보면 충격적인데.

"내가 들어보니 남자라면 그런 건 불가능하다던데. 너처럼 외모가 괜찮은 녀석이라면 즉시 채용도 되는 거구나."

"단 꽃미남에 한한다, 라는 거야. 분하면 너도 멋있게 다시 태어나라고."

"젠장, 짜증 나."

나도 할 수만 있다면 꽃미남으로 태어나고 싶었다고.

하지만 대답하는 세가와의 옆얼굴이 조금 붉었다. 이 녀석이 쑥스러워한다는 걸 알았으니 넘어가 주자.

자, 그럼. 나도 지지 않고 돈을 모아야지 하며 자리로 돌아가자—.

"이 도둑고양이, 이 도둑고양이……."

"야, 아코. 뭘 휘두르는 거야."

아코가 붕붕 팔을 휘두르며 수상한 거동을 보이고 있었다.

††† ††† †††

내일부터 아르바이트라고 말한 대로, 다음 날 세가와는

부실에 오지 않았다.

부실에 와도 슈바인과는 온라인 게임을 할 수 없다.

집에 돌아가서도 슈바인과는 온라인 게임을 할 수 없다.

슈바인이 없으니까 세테 씨도 오지 않는다.

◆아코 : 깜짝 놀랄 정도로 쓸쓸하네요!

◆루시안 : 깜짝 놀랄 정도로 쓸쓸해!

◆애플리코트 : 좀처럼 의욕이 나질 않는군.

고착 며칠 만에 우리는 의욕을 잃고 말았다.

그치만 우리가 사냥하는 사이 그 녀석은 아르바이트를 하고 있단 말이야.

아르바이트가 끝나도 그 녀석은 로그인을 못 한단 말이야.

그런데 우리만 열심히 돈을 모으고 있으면 공평하지 않잖아.

라이벌이기에 그런 건 별로 기쁘지 않았다.

◆아코 : 하지만 슈가 없는 지금이 찬스니까요. 열심히 벌어둬야죠.

◆루시안 : 너는 귀신이냐.

이 녀석은 나와의 마이 홈을 위해서라면 모든 것을 저버릴 각오가 있으므로 제외.

◆애플리코트 : 너희 둘은 그래도 동급생이니 낫지. 나는 학교에서도 만날 기회가 없단 말이다. 현실이나 온라인, 어느 쪽이라도 만나기만 하면 그나마 괜찮은데 말이다.

◆루시안 : 보고 싶어서.

◆아코 : 보고 싶어서.

◆애플리코트 : ……떨려.[#7]

잠시 뜸을 들인 뒤 마스터가 다시 말했다.

◆애플리코트 : 그러니까, 이게 문제다. 슈바인이 없으면 내가 이런 이야기에 전부 대응해야 한단 말이다. 이건 곤란해.

◆루시안 : 우리를 상대하는 게 괴롭다고 말할 셈이야?

◆아코 : 전혀 그렇지 않죠?

◆루시안 : 않지?

◆애플리코트 : 너희가 그렇게 생각한다면 그런 거겠지. 너희들 마음속에서는…….

일단 우리에게 대응해준 마스터이지만 역시 쓸쓸해 보였다.

오늘 슈바인은 한 번도 로그인하지 않았다.

아마 내일도 로그인하지 않을 것이다.

분명 모레도 없을 것이다.

그러면— 역시 이렇게 되는 법이다.

"어서 오세……칫……요."

마에가사키 역 앞에 위치한 인터넷 카페에 발을 들인 순간, 연수 중이라는 명찰을 붙인 점원이 이쪽을 노려봤다.

뭐야 이 가게. 점원 교육이 제대로 안 됐잖아.

"저 트윈테일 점원, 어서 오세요 도중에 혀를 찼는데."

"노려봤어요."

#7 ...떨려 니시노 카나의 노래 『보고 싶어서 보고 싶어서』의 가사

"그래도 긴장을 풀고 있다는 증거다. 좋은 일 아니냐."
그야 단순 작업이 트라우마가 된 두 사람보다는 나을지도 모르지만.
"그럼 세 명, 게임용 PC에 오픈석으로 나란히."
"……귀찮은 주문하지 말라고."
작은 소리로 뭐라 그러는데! 이 점원, 정말로 태도가 나쁘구만!
"적어도 존댓말을 쓰라고."
"……손님, 회원 카드는 가지고 계신가요? 가지고 계시지 않으면 돌아가셔야 하는데요."
왜 돌려보내려고 하는데. 이 자리에서 만들면 되잖아.
그리고 가지고 있거든? 제대로.
"자."
나란히 건네주자 세가와가 명백하게 싫은 표정으로 받아 들었다.
"왜 가지고 있는데."
"어째서 근처 인터넷 카페의 회원 가입을 안 했을 거라 생각한 건데."
경험치 버프 이벤트 중일 때 인터넷 카페 보너스와 조합해서 단번에 레벨을 올리기도 한단 말이지. 생각이 물러터졌어.
"하아…… 시간은 얼마나 하실 건가요?"
"세 시간 코스로."

“알겠습니다. 그럼 자리는 38번에서 40번까지 세 자리로 준비해드리겠습니다.”

체념한 건지, 평범한 접객으로 돌아간 세가와에게 안내를 받았다.

빈틈없는 세가와답게 의외로 제대로 하고 있었다.

“이쪽입니다.”

“음.”

“네~에.”

오른쪽 자리에 마스터, 왼쪽 자리에 아코가 앉았다.

어째서 내가 한가운데인데? 딱히 상관은 없지만, 이상하지 않아?

“……그보다 너희 왜 온 거야.”

근처에 아무도 없기 때문인지 세가와가 완전히 본심을 드러냈다.

왜 왔냐니, 너 말이야.

“그야 물론 쓸쓸해하는 슈바인을 격려하려고 온 거다만.”

“응원하러 온 거예요!”

“방해야 방해!”

방해입니까.

그럴 거다 싶었다.

게다가 우리는 하루 만에 아르바이트에 좌절한 멤버니까 계속하고 있는 세가와 쪽에서 보면 짜증 나겠지.

그건 알고 있었어. 하지만—.

"역시 세가와가 없으면 쓸쓸하니까."

"…………너희도 참."

세가와는 미묘~한 표정으로 우리를 둘러본 뒤에 조금 어이없어하며 웃었다.

"뭐, 쓸데없는 일 늘리지 말고 얌전히 있어."

그렇게 말하고는 프릴 달린 제복을 휘날리며 냉큼 돌아가 버렸다.

"왠지 평범하네."

"슈바인은 딱히 걱정할 필요가 없었을지도 모르겠군."

"슈는 언제나 의젓하게 하고 있으니까요."

이 시점에서 목적은 달성했으니까 할 게 없어졌다.

부활동 시간을 이용해서 인터넷 카페에 왔기 때문에 평소라면 지금쯤 온라인 게임을 하고 있어야 한다— 라고 생각하면—.

"좋아. 게임을 하다 돌아가자."

"그러네요!"

경험치 보너스도 있으니까 가끔은 즐겁게 사냥이라도 하자고.

"마스터도 오늘 정도는 시세 조작을 쉬어도 되지 않아? 셋이서 어딘가 가보자고."

"딜러, 탱커, 힐러로 밸런스가 맞는군."

"저기, 슬리퍼 선생님 대책으로 갑옷에 토석성을 붙일 수 있는 그게 갖고 싶은데요."

"토속성이 추가되는 어스 인핸스먼트인가. 어디였지?"

"모구라트 사막이지. 나름대로 난이도가 있다. 경험치도 벌 수 있을 거고, 좋군."

목적지 결정. 오랜만에 멤버들끼리 하는 사냥이다. 기합 넣고 가보자!

"좋아. 아코. 장비 제대로 장착하고 와라."

"네. 예쁘게 꾸밀게요!"

"제대로 장착하고 오라는 건 그런 의미가 아니야! 슬리퍼 선생님 덕분에 실용적인 장비에 눈을 뜬 거 아니었냐!"

"우우우, 역시 힐러 로드는 모양새가……."

"장비가 강해지면 이렇게 편하다는 걸 알았잖아?"

"그치만 루시안 앞에서는 가장 귀여운 장비를 보여주고 싶단 말이에요."

"가장 센 장비로 와주는 아코 쪽이 더 좋은 데다 멋진데."

"좋아한다거나 멋지다고 말하면 전부 해결될 거라 생각하는 거 아닌가요? 루시안."

그렇게 말하면서도 히죽히죽 웃으며 제대로 된 장비를 꺼내는 아코가 좋아.

"마스터는 평소대로 진지한 장비?"

"그래. 상대는 토속성이니까, 내 미티어가 울부짖겠군."

다들 오랜만에 하는 멤버끼리의 파티 사냥이라 텐션이 올라가 있군.

이러는 나도 의욕이 넘쳐나서 평소에는 쓰지 않는 포션 같은 걸 챙기고 있지만.

"……실례합니다."

그런 우리 뒤로 빈 유리컵을 든 세가와가 지나갔다.

지나갈 때 화면을 빤히 보고 있다는 느낌이 들었지만 그건 못 본 척하자.

"그럼 이동할까. 아코는 어차피 헤맬 테니까 나랑 같이 가자."

"이제 와서 모구라에서 헤매거나 하진 않는다고요."

"그렇게 말해놓고서 저번에도 헤맸잖아."

모구라(두더지)가 구멍을 뚫었다는 설정인 모구라트 사막은 들어가는 구멍을 제대로 못 찾으면 실컷 헤매게 된다. 그러므로 아코를 내버려 두면 매우 위험했다.

"으음. 모니터가 내 방의 모니터보다 꽤 작군. 부활동 중에도 싱글 모니터인 탓에 고생하고 있건만."

"인터넷 카페의 게임용 모니터가 작다니, 이러니까 부르주아는."

"진정한 부르주아는 인터넷 카페에 자기 전용 부스를 만들어서 거기에 틀어박힌다고 하더군."

"부르주아라기보다는 완전 정신 나간 놈 아니야? 인터넷 카페 난민 같은데."

"제가 전부터 생각하던 건데요, 인터넷 카페 난민은 난민이 아니라 귀족 아닌가요? 항상 인터넷 카페에 있다니 천국이잖아요."

"그 사람들은 인터넷 카페에서 자는 것뿐이고 낮에는 일하거든! 너랑은 다르다고! 그보다 아코, 잘못 갔어 잘못 갔다고!"

"어라? 그치만 마스터는 이쪽에 있는데요?"

"이쪽은 던전까지 거리는 가깝지만 선공형 적이 많은 루트다. 아코 군이 따라와도 괜찮나?"

"무리예요오오오오오."

"나도 그쪽으로 갈 테니까 사냥하면서 나아가자."

별수 없지. 그리 힘든 건 아니니까.

"……뒤쪽 지나갑니다."

그런 대화를 하는 우리 뒤로 세가와가 다시 지나갔다.

음식이 담긴 접시를 들고 있는 걸 보니 개인실 부스로 옮기는 거겠지. 힘내라.

"타케팅 모은다. 영창 준비됐어?"

"오랜만의 사냥이다. 타이밍은 조금 넉넉하게 조정하마."

"오케이. 엑스댐은 쿨이 기니까 아코는 힐 위주로."

"일본어로 부탁드려요."

"너라도 알 수 있는 말밖에 안 했거든!"

"……란란…… 뒤쪽 지나갑니다~."

요리를 손님에게 전해준 세가와가 세 번째로 우리 뒤를 지나갔다.

작게 란란이라는 소리가 들렸는데…… 란란하고 싶은 걸까.

"가볍게 모아 왔다고. 자, 미티어, 와라 미티어."

"음. 생각보다 영창이 느리군. 괜찮나?"

"버프가 안 걸린 거겠지. 아코. 제대로 지원해줘."

"기다려주세요. 만화가 마침 재미있는 부분이거든요."

"만화 읽지 말라고! 화면을 봐 화면을! 따라가기 모드로 해놓고 놀지 말란 말이야!"

너 힐러거든! 화면을 보지 않으면 안 되는 직업이거든!

"회복 빨리, 회복 빨리빨리."

"기다려주세요. 이번 권만요."

"이번 화만요, 정도로 참아줬으면 좋겠는데!"

"일상물 4컷 만화라서 1화 완결로는 이야기가 끝나지 않는다고요."

"그러면 그 4컷만 다 읽고 나서 해도 되잖아!"

회복약이 줄어간다고! 힐, 빨리 힐!

"……쓰레기 같은 건 없으십니까?"

"우왓?!"

슬쩍 뒤에서 고개를 내민 세가와가 그런 소리를 했다.

아, 깜짝 놀랐네. 쓰레기 회수인가. 괜찮아, 쓰레기는 전혀 없으니까.

"괜찮으니까 일 열심히 해."

"……네. 실례했습니다."

세가와가 청소 도구를 들고 시무룩하게 떠났다. 일하는 것도 힘들겠네.

"……후훗."

"야 아코. 만화 보고 웃지 말고 회복해달라고!"

"의견 제시. 일단 아코 군을 죽이고 이 자리에 놔두고 간다."

"큭, 3인 파티니까 내가 마스터의 의견에 찬성하면 가결되나."

"거부권을 행사할게요."

"적어도 만화에서 눈을 떼고 말해!"

"그럼 이제 됐다! 자기중심 미~티~어!"

"저기, 마스터? 그 범위로 뛰어들라고? 마스터랑 나 사이에 서 있는 아코한테 적의 타게팅이 대량으로 튈 거라 생각하는데, 그렇게 하라고?"

"헉, 살기네요! 도망쳐야지!"

"죽을 것 같으니까 움직이는 거냐, 너!"

"아아아아아아아아아정마아아아아아아아아아아아알!"

우왓, 뭐야?!

세가와

뒤에서 세가와의 목소리가 들렸다. 그것도 굉장히 울먹이는 소리라 깜짝 놀라 돌아봤다.

그곳에는 두 눈 가득 눈물을 머금은 슈바인 씨가…….

게다가 연수 중 명찰을 떼어놨어!

"무리야, 나 이제 무리!"

"뭐가?! 무리 아니잖아. 넌 잘 하고 있잖아!"

"그런 게 아니라! 요즘 계속 돈 벌기만 해서 지겨워 죽겠는데 다들 즐겁게 놀고 있잖아! 치사해! 나도 할래!"

"슈, 일은……."

"아르바이트는 괜찮은 거냐?"

"괜찮지 않지만, 싫어! 이제 싫어! 원래대로라면 나도 방에서 LA하고 있을 시간인데 아르바이트 탓에 못 한다니! 게다가 집에 돌아가도 컴퓨터를 못 한다니!"

우리가 온 탓에 온라인 게임을 하고 싶다는 욕구가 한계를 넘은 모양이다.

이럴 수가. 슈바인이 없어서 쓸쓸했기 때문에 상황을 보러 온 것이 이런 결과를 낳을 줄이야.

"이, 이 녀석 어쩌지."

"어쩌죠?"

"어쩌냐니, 당연한 거 아니야?"

세가와는 강력한 눈초리로 단언했다.

"온라인 게임 할 거야!"

††† ††† †††

마에가사키 고등학교는 대체로 6교시 수업으로, 오후 세 시 지나서 종례를 하고 해산한다.

부활동은 그로부터 세 시간 정도에 걸쳐 진행되는 것이 보통이고, 교칙으로는 일곱 시가 완전 하교 시간이다.

대회 직전 같은 경우는 선생님한테 혼날 때까지 억지로 남는 부도 있지만 대부분의 부는 여섯 시 반의 종소리로 부활동이 종료된다. 그때부터 뒷정리를 하고 냉큼 돌아가는 흐름이 된다.

우리 현대통신전자 유희부도 예외는 아니라서, 여섯 시 반의 종소리를 들으면 뒷정리를 시작하게 되는데—.

"자, 세가와. 게임 끄고 전원도 끄라고."

"돌아가요."

"싫어어어어어어, 아직 안 돌아갈거야아아아아아."

오늘은 부원 한 명이 울고불고할 정도로 싫어하고 있어서 좀처럼 뒷정리를 못 하고 있었다.

"……이거, 어떻게 된 거야?"

오랜만에 참가한 아키야마가 어이없다는 얼굴로 바라볼 정도의 참사였다.

"전에 이야기했던 대로, 세가와의 컴퓨터가 망가진 상태인데."

"하지만 아르바이트해서 다시 사려고 했잖아? 매일 급료를 받았으면 슬슬 쌓이지 않았어?"

"그게…… 아키야마, 저 녀석이 요즘 어떻게 생활하는지 알고 있어?"

"응? 아카네. 이상한 생활을 하고 있는 거야?"

부활동이 끝나면 평범하게 아르바이트 아니야? 라고 태연하게 대답하던 그녀에게 세가와가 드문드문 대답했다.

"부활동이 끝나면…… 그대로 인터넷 카페."

"인터넷 카페에서 아르바이트?"

"인터넷 카페에서 온라인 게임."

한계가 찾아와 그만둬 버린 가게인데, 어째서인지 점장님과 사이가 좋아져서 기운차게 그곳을 다니는 모양이었다.

"그리고 저녁 먹을 때까지 버티다가 집으로 돌아가서 밥 먹고 바로 자고, 첫차를 타고 마에가사키로 와서 인터넷 카페."

"…………."

세테 씨 입을 다물어버렸네.

"그러다가 수업에 맞춰 가게를 나오고, 부활동이 끝나면…… 그대로 인터넷 카페."

"저, 저기 아카네. 그런데도 돈이 남아?"

"그만둘 때까지 모은 아르바이트비가 있었으니까……."

"그건 무한 루프라고 부르는 거 아니야?!"

아, 좋은 단어를 학습했군. 바로 그건데?

"무한히 루프할 수는 없어! 언젠가는 돈에 한계가 올 거라고! 머지않아 밤에 게임을 할 수 없게 된다니까! 게다가 보스 사냥은 전혀 잘 되지 않고!"

"마크당하기 시작했으니 말이지."

"맞아!"

세가와가 탁자를 쾅 두드렸다.

"보스 사냥 길드 녀석들을 쫓아다녔는데, 그 녀석들 내가 있는 걸 깨닫고 일부러 보스가 없는 곳으로 가려고 해서…… 이젠 보스가 죽는 타이밍도 모르겠고, 나오자마자 바로 달려갈 수도 없고, 전혀 못 잡겠어!"

"보스 사냥 길드 사람들한테 얼굴이 알려진 거네요."

"매일같이 방해하러 오면 당연히 그렇게 되겠지."

"우우우우우, 돈이 전혀 쌓이질 않아!"

세가와는 모든 의미에서 한계를 맞이하고 있는 것 같았다.

"마음은 잘 알겠다만 섣불리 남았다가 선생님들에게 야단을 맞으면 곤란하다. 내일 부활동을 못 한다면 슈바인은 더 곤란해지지 않나?"

"그건 그렇지만…… 전기 끄고 몰래 남으면 어떻게든 되지 않을까?"

"반대로 돌아갈 수 없게 될 거다."

"괜찮아, 여기서 살 테니까."

"아, 아카네! 얼굴이 무서워!"

부실 난민 같은 소리를 꺼냈다.

"애석하다만, 그건 내 권한으로 인정할 수 없다. 그 이상 저항한다면 강제 종료도 불사하마."

"워 머신의 수명까지 깎을 수는 없어…… 어쩔 수 없네."

세가와가 겨우 키보드에서 손을 뗐다.

"아쉽지만 나는 이번 싸움에서 탈락해야 하나……."

그리고는 어깨를 떨구며 컴퓨터를 껐다.

"이렇게 같이 걷고 있으면 친구가 있는 것처럼 보이겠네요!"

돌아가는 길, 아코가 싱글벙글 웃으며 무서운 소리를 꺼냈다.

"친구가 없다는 전제로 이야기하는 건 그만둬."

"괜찮아요. 저의 세계는 루시안만 있으면 되거든요."

"얀데레 같은 소리 그만해."

네가 말하면 농담으로 들리지 않는다고.

오히려 진심 같은 느낌이 든다니까.

"그치만 사람이 적은 편이 사냥도 퀘스트도 편하잖아요. 퀘스트 대상 몬스터 앞에 줄지어서 기다리지 않아도 되는데요?”

“그 대신 파티 모집하느라 한 시간 정도 기다려야 하니까 좋다 나쁘다 말하기는 힘들지 않을까.”

“그럼 적어도 현실에서 채널 이동을 할 수 있다면.”

“사람이 적은 외딴 세계로 떠나려고 하지 마.”

“사람 적은 서버에 캐릭터를 만들어서 루시안이랑 둘 만의 세계를 만들죠.”

“그러다가 도시 서버하고 통합되겠지.”

“싫어요! 우리의 시골 서버를 돌려줘요!”

무슨 트라우마가 자극됐는지 아코가 나에게 달라붙어서 호소했다.

그보다 현실과 게임은 다르거든? 같이 묶지 말아줄래.

“우우…… 적어도 환경 설정만이라도 바꿀 수 있다면 좋을텐데…… 저만 다른 사람보다 마우스 감도가 나쁜 것 같은 느낌이 든다고요.”

“인생의 환경 설정이라니 처음 들었네. 효과를 끄면 가벼워지나.”

“가능하면 난이도를 내리고 싶어요.”

“화질을 올리는 걸로 참아.”

아코의 인생이 약간 하드 모드라는 건 부정할 수 없지만…….

“애초에 말이지. 설령 난이도를 내려도 스스로 아무것도 안 하면 변하질 않잖아? 가만히 있기만 하면 아무 이벤트도 일어나지 않으니까."

"아니에요. 저는 기다리는 거라고요. 니가와 타입의 전법이에요. 계속 기다리는 아코라고요."

"가일로 앉아있기[#8] 같은 짓을……."

"적이 날아온다면 상단 차기로 요격할게요."

"서머솔트 실패한 거잖아."

커맨드는 제대로 입력하라고. 기회가 와도 실패하면 결국 기다리는 의미가 없잖아.

"……저, 저기."

그때, 세가와가 조심스러운 느낌으로 말했다.

뭐야, 겨우 말을 꺼내는 건가. 무슨 일인가 했네.

"너희 말이야. 언제나 이런 대화만 해?"

"뭐, 대체로 그렇지."

"거의 이런 느낌이네요."

"즐거워 보이네~."

그렇고말고. 아키야마.

지금 와서는 이게 즐거워서 아코랑 부부로 지내고 있다고 해도 과언이 아닙니다.

"나는 틀림없이 좀 더 야릇한 이야기를…… 아니 야릇하

#8 가일로 앉아있기 격투게임 스트리트 파이터에서 가일을 골라서 앉은 자세로 적이 공격하는 것을 계속 기다리는 방식.

지 않다는 건 아니지만…… 옆에서 들어보면 바보 커플 같긴 하지만, 뭔가 잘못된 것 같은……."

"뭐가 이상한가요?"

"별로 이상하지 않은데?"

보통이야 보통. 그야말로 보통 운전이라고.

"시간도 늦었으니까 모두 함께 돌아가자! 라고 해서 같이 왔는데…… 왠지 후회된다."

"어째서? 이상하잖아. 즐겁게 토크하자고."

"채팅이 활기찬 길드는 좋은 길드니까요."

"인사를 강제하는 길드가 될지도 몰라."

"아, 아코 씨는 인사를 하지 않으셨는데 로그인 하고 있었네요, 같은 소리를 듣는다는 거냐."

"그건 싫어요!"

대화를 강제하는 길드는 무섭다. 엄청 무섭다.

그러나 아키야마는 의아한 듯이 고개를 갸웃했다.

"마에가사키 고등학교의 메신저를 읽고 나서 무시하는 걸 용서하지 않는 모임의 회장을 맡고 있는 나로서는 인사를 확실히 해야 한다고 생각하는데?"

"아키야마 넌 그런 모임에 들어갔냐?!"

"근데 니시무라는 라인 해? 아이디 가르쳐줘."

"너한테는 절대 안 가르쳐줍니다!"

전달된 글을 읽고 나서 무시했다간 무슨 소리를 들을지

무섭다.

오히려 직접 말한다면 괜찮지만 뒤에서 소문이 퍼지는 쪽이 무섭다.

“니시무라를 상대로 계정을 가르쳐줄 필요는 없어. 스토커 같은 기세로 메시지가 올걸.”

“부탁이니까 조금만 더 나를 다정하게 대해주라.”

“부탁? 부탁을 할 거면 넙죽 엎드리는 게 상식이잖아?”

“그 시점에서 전혀 다정하지 않잖아 인마!”

“넙죽 엎드리면 아는 사람이 느는 건가요?!”

“아코! 거기에 매력을 느끼지 말라고!”

완전 엉망진창이네.

가을도 깊어져서 해가 떠 있는 시간이 꽤 짧아졌다.

어둠에 감싸여가는 통학로였지만, 서로 떠들며 돌아가니 밝게 보였다.

세가와가 아르바이트에 힘쓰게 되면 이렇게 떠들 수 있는 시간도 줄어들겠지.

그건 역시 쓸쓸하다. 어쩔 수 없는 일이지만.

“그러고 보니 세가와. 승부는 포기한다고 했었지…….”

“조금 전에도 말했지만…… 미안, 아마도 무리야.”

“무리인가요.”

“그게 문 라이트였다면 다 이긴 게임이었는데…….”

레어는 그렇게 자주 나오는 게 아니니까. 감정해보니 쓰레기였다는 건 자주 있는 일이다.

"지금은 보스가 나오는 시간도 제대로 파악 못 하겠고, 부활동 시간만으로는 제대로 모으는 것도 무리라고 생각해. 솔직히 적자일지도 모를 정도로."

"보스 사냥 같은 것에 모든 걸 걸었으니……."

즉, 앞으로의 라이벌은 마스터뿐이라는 거다.

마스터보다 많은 돈을 번다면 길드 하우스는 나와 아코의 마이 홈이 된다는 거지.

"그렇지만 마스터한테 이길 수 있는 비전이 보이지 않아……."

"그러고 보니 마스터는 많이 벌고 있다고 하더라고요."

"시세 조작은 잘 되고 있는 모양이니까."

원금 시점에서 400M 정도는 있었고, 그걸 더욱 불린다고 했으니 말이지.

"그럼 순조롭게 가면 마에가사키 성이네."

"또 신상털이의 위기냐."

오히려 고양이공주 씨의 몸이 못 버틸 텐데…….

"저기 저기, 근데 말이야."

그때, 아키야마가 검지를 확 세웠다.

"이럴 땐 가장 믿음직한 사람이 엄청난 사고를 치는 경우가 흔하지 않아?"

"마스터에 한해서는 그런 기대를 가질 수 없을 것 같은

데."

"맞아요. 마스터는 언제나 잘 헤쳐나가니까요."

"마스터는 꽤 유능한 사람이야."

"그런가아……?"

핫핫핫, 하고 명랑하게 웃는 우리를 보며 아키야마는 하늘하늘 손끝을 흔들었다.

"바보 캐릭터라고 했었잖아……."

그건 잊어주셨으면 좋겠습니다. 부탁드립니다.

그런 대화가 복선이었을까.

아니면 아키야마가 말했으니까 그렇게 된 걸까.

다음 날 부실에서 마스터가 흘린 작은 한마디를 전원이 듣고 말았다.

"…………저질러, 버렸다."

작은 목소리였지만, 농담이라고는 생각할 수 없을 정도의 감정이 담긴 것처럼 느껴졌다.

무슨 일이 있는 것 같다. 그것도 매우 좋지 않은 무언가가…….

"…………."

"…………."

힐끔 옆자리의 아코와 눈을 마주 봤다.

『야, 아코. 무슨 일이 있었는지 물어봐.』

『저한테는 무리예요! 그런 건 루시안의 일이잖아요!』

아마 그런 소리를 했을 것이다. 아마 그럴 거다.

멋대로 나를 중재 역할로 삼으면 곤란하다. 나한테도 못 하는 일 정도는 있단 말이지.

모니터 건너편에 있는 세가와도 슬쩍 봤다.

『당장 물어봐.』

나를 노려보고 있었다.

이 녀석 나한테 너무 엄하지 않아? 나보다 돈 못 벌었으니까 이 정도의 일은 해줘도 되잖아.

그러나 아무도 묻지 않을 수는 없었다. 어쩔 수 없겠다 싶어서 조심조심 입을 열었다.

"저기, 마스터? 무슨 일 있어?"

"뭐라 말해야 좋을까. 한마디로 표현하자면— 끝났다, 겠군."

"자금 모으기가?"

"음."

겉으로만 파악하면 좋은 의미라고 생각한다.

무사히 예정 금액을 모아서 자금 모으기가 끝났다, 그런 의미로 들렸다.

그러나 그건 아닌 것 같았다. 아니라고밖에 할 수 없었다.

왜냐하면 마스터가 외환 거래로 가진 돈을 전부 날려버린 표정을 짓고 있었기 때문이다.

“혹시나 해서 묻는 건데…… 손해 봤어?”

“그래. 손해다. 대손해다. 숫자로 표현하면 대략 600M 정도 손해를 봤군.”

“뭐어?!”

잠자코 듣고 있던 세가와가 소리를 질렀다.

“어떻게 하면 그런 거금을 손해 보는데?! 사기라도 당했어?!”

“아니, 아니다. 정상적인 거래 상황에서, 패했다.”

말로는 괴로워 보이지만 표정이 흐물흐물해서 긴박감이 없었다.

단지 평소에는 여유가 넘치던 마스터가 그런 표정을 짓고 있었기 때문에 상황이 좋지 않다는 것을 알 수 있었다. 진짜로 600M이나 날려버린 건가.

“루시안과 아코에게는 예전에 이야기했었지. 재료를 독점하고, 시세를 끌어올려서, 가격이 올라간 시점에서 처분한다. 크로우 버드의 깃털에서 돈을 많이 벌었기 때문에 다음 아이템에서도 같은 방법을 취했다.”

“……그런데?”

“내가 사들인 건 세쿼이아의 원목. 크래프트 스킬을 올리는 데 쓰이는 우수한 원목재— 그렇게 여기고 시세 조작에 뛰어들었다. 거래 이력을 확인해봐도 시세는 한동안 안정된 것처럼 보였지.”

예상대로 진행되었다면 이쪽에서도 크게 벌어들여서 1G 가까운 자산을 만들 수 있었을 것이다.

그것에 도전한 이유는, 마스터의 자신감과 야망도 있었겠지만 아르바이트니 뭐니 해서 자금을 놀려둔 경위도 있었을 거라 생각한다.

"나는 경매장에서 세쿼이아의 원목을 샀다. 사고 사고 또 샀다. 누구도 팔 수 없을 정도로 샀다. 하지만…… 사라지면 곧바로 다음 것이 나왔다."

많은 재료를 들고 있어도 한꺼번에 팔아치우면 단숨에 가격이 내려가 버린다.

그래서 머리 좋은 판매자는 조금씩 조금씩 판매한다. 매진되어 다음 것을 내는 건 이상한 일이 아니다.

그리고, 그것이 함정이었다.

"사들여도 사들여도 같은 단가로 나오더군. 언젠가는 사라지겠지, 그러면 내 승리다. 그렇게 생각해서 샀다. 계속 사들였다. 그러나— 먼저 바닥을 드러낸 건 내 돈이었다."

"600M어치 원목을 산 건가요……?"

"그래. 맞다. 내 자금이 다 떨어질 때까지 계속 사들였지. 만약 내 자금이 다 떨어지더라도 같은 가격을 가진 아이템이 수중에 남으니까. 최악이라도 같은 가격으로 다시 팔면 된다. 그렇게 생각했었다."

그러나, 라고 말하며 마스터가 어깨를 떨궜다.

"팔리지 않았다. 팔 수 없었지. 내가 샀을 때, 세쿼이아의 원목은 개당 10k의 단가로 거래되고 있었다. 거래되는 것처럼 보였다. 로그가 남아 있었으니까, 몇 번이나 사고 팔리는 로그가. 그러나 그것 자체가 거짓이었다. 나는 속아 넘어간 거다."

훗 하고 자조적으로 웃은 마스터가 의자에 풀썩 기대고는 등을 돌렸다.

"대체 어떻게 된 거야?"

"시세 조작을 목적으로 물건을 사들이는 인간을 노리고 쓰레기 아이템을 미리 사들여서 고가로 판매하는 인간이 있었던 거다. 자작으로 판매 로그를 메워서 원래부터 그 아이템에는 가치가 있었다고 꾸민 거다. 그리고 나는 그대로 함정에 걸렸다는 거지."

요컨대 쓰레기 같은 아이템을 대량으로 경매장에 내놓고, 거래 로그에도 고가로 거래되듯이 꾸민 뒤에 아무것도 모르는 인간이 사러 오는 것을 기다렸다는 건가.

"세쿼이아의 원목이 크래프트를 올리는 데 쓰이던 건 옛날 일이었다. 지금은 전혀 쓰이지 않는다더군. 내 정보가 낡았던 거다."

아무도 쓰지 않는 아이템이 된 건가.

그래선 아무리 사들여 본들 팔 방법이 없다.

"내가 산 금액의 1/100로 내놔도 전혀 팔리지 않더군. 그야말로 외통수에 몰린 상황이다. 하하하하하하하하."

마스터가 차갑게 웃었다.

화면 속에서는 애플리코트가 세쿼이아의 원목을 휙휙 던지고 있었다. 이미 자포자기 상태인 모양이다.

"익숙하지 않은 짓을 하면 이렇게 되는 건가……."

"시세 조작의 프로는 무섭네요……."

신인이 거친 수단으로 시세 조작에 나선 걸 알고 함정을 파둔 건가.

온라인 게임은 무섭단 말이지. 이런 부분에서도 터무니없는 프로가 있으니까.

"전매 같은 것도 하고 있었잖아? 그쪽 벌이는?"

"그것도 대실패다. 하우징 추가 예고가 나오고 나서 거의 모든 플레이어가 토지를 사기 위해 현금을 모으고 있지. 즉 현금의 가치가 올라가고, 장비품, 아이템의 가치는 내려가고 있다는 거다. 싸다고 생각해서 사들인 장비가 전혀 팔리질 않더군."

운영진의 노림수대로 인플레 상황의 개선이 진행되고 있는 모양이다.

하지만 유저 간 거래로 돈을 벌고 있던 플레이어에겐 마이너스다.

"그렇게 되었으니…… 애석하지만 현재 나의 수입은 없다고 생각해줬으면 좋겠다. 핫핫핫."

모든 것을 내던진 마스터의 미소는 정말로 예뻤고, 너무나도 슬펐다.

"왜 적당히 벌고 빠지지 않은 건데……."

"성이, 성이 갖고 싶었다. 그날 앉았던 영주 의자의 쾌감을 잊을 수가 없었다……."

"공성전이 원인이었냐!"

그날의 승리는 기뻤지만, 그렇다고 옥좌만 손에 넣어봐야 아무 소용없는데.

"그래, 루시안. 너희들의 자금으로 지원해줄 수 없겠나? 약간이나마 원금이 있다면 이번에야말로 이기겠다. 나는 시장의 여왕으로 활짝 피어날 수 있을 거다!"

"외환 거래에 빠진 막장 어른 같은 소리 하지 마. 안 빌려줘."

더 이상 상처가 깊어지기 전에 얌전히 후퇴하라고.

어쨌든 마스터도 탈락.

의외이긴 했지만, 도박 같은 방식으로 벌려고 하던 사람은 이렇게 되는 운명이구나.

"그렇게 되면— 어라?"

놀라운 사실을 깨달았다.

"혹시 이건 나랑 아코의 집이 되는 건가?"

"그러네요! 해냈어요! 우리의 승리예요!"

"참고로 너희는 얼마나 모았는데?"

"아코, 금액은 대충 얼마나 모였어?"

"둘이 합쳐서 500M은 모아놨어요."

"진짜로?! 굉장하네!"

한 시간 10M씩 매일 네 시간. 또한 개인적으로 한가한 시간에도 노력해서 겨우 이 정도 모았다. 두 사람의 피와 눈물의 결정이다.

"아~아. 이렇게 평범하게 질 줄이야."

"착실한 노력에는 이길 수 없다는 건가."

두 사람이 쓴웃음을 지었다.

그렇지? 우리한테 질 줄은 몰랐겠지? 꼴좋다 이거야.

"그런데 한 가지 문제점이 있는데 말이지."

"뭔가요? 집의 이름인가요?"

"그건 아코가 정해줘. 멀쩡한 걸로."

나와 아코 사이에 있는 문제가 아니라.

"처음에는 길드 하우스를 짓는다는 계획이었는데, 나랑 아코 말고는 전혀 돈을 내지 않는다면 이건 길드의 집이 아니라 우리 집이라고."

"…………아, 그런가."

"확실히, 내가 낼 수 있는 돈은 한 푼도 없군……."

다들 이제 와서 깨달았다는 표정으로 말했다.

이렇게 되니까 대박을 노리는 사냥은 의미 없단 말이지.

결과적으로 돈을 전혀 벌지 못하게 되니까.

"역시 장래는 진지하게 생각하지 않으면 안 되겠네요."

"네가 생각하는 진지한 장래가 불안하지만…… 뭐, 이번에는 넘어갈까."

어찌 됐든 무사히 예정액을 모았다. 나머지는 시스템 추가를 기다릴 뿐이다.

"아코랑 루시안네 집에 얹혀살아야 하나."

"재워주기만 한다면 바닥이라도 상관없다."

"제대로 너희들 방도 만들어줄 테니까 걱정하지 마."

"2층은 부부 공간이니까, 들어오면 안 돼요."

2세대 주택 같은 소리는 하지 말아줘.

"……음. 타이밍이 좋군. 공식 페이지가 갱신되었다."

어, 공식 정보가 갱신됐어?

이런, 보지 않았었네. 곧장 페이지를 열고 확인했다.

"업데이트 직전 정보. 하우징 시스템, 토지 권리 구입 금액 발표라고!"

"토지 단가가 나온 건가…… 예상보다 싸면 좋겠네."

"어디, 우리가 노리던 건 마을 내부고, 4등지, M사이즈의 토지니까…… 단가는 대략—."

거기까지 말하던 세가와의 말문이 막혔다.

무슨 일이지 싶어서 단가 일람을 확인한 나도 무심코 숨을 삼켰다.

이, 이건…… 진짜냐…….

“로드스톤의 4등지, M사이즈는…….”

“단가, 1G…….”

그 금액은.

예상의 두 배였다.

“……못 사.”

역시 온라인 게임 운영진은 우리의 예상을 훨씬 뛰어넘는 것 같다.

“어쩌죠……?”

“이건…… 곤란하군.”

여기까지 와서 우리의 집짓기 계획은 커다란 암초에 직면하게 되었다.

3장
비포 앤드 애프터

And you thought there is Never a girl online?

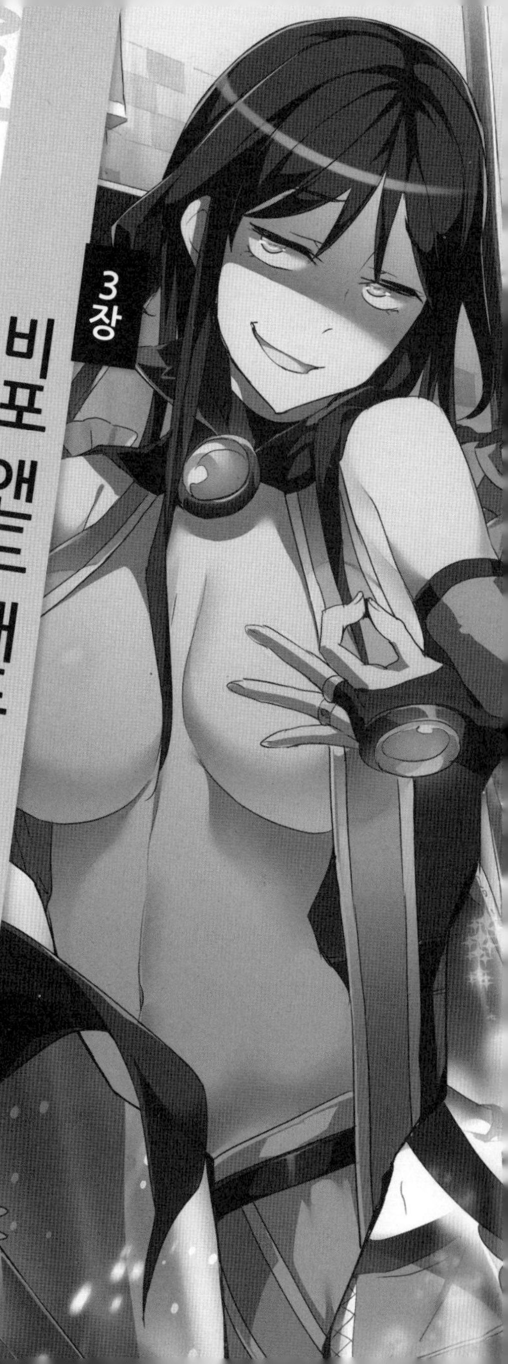

하얀 모래, 끝없이 이어지는 바다.

붉은 태양이 수평선 아래로 저물어간다.

잔잔하고 귀에 거슬리지 않는 좋은 BGM.

은은하게 들려오는 파도 소리도 분위기 형성을 거들어주고 있다.

이성과 둘이 있는 것만으로도 사랑에 빠질 것 같은, 그런 곳이었다.

"루시안. 이곳 기억하시나요?"

"그야 기억하지."

속삭이듯이 말하는 아코를 보며 나는 쓴웃음과 함께 대답했다.

"네가 나에게 프러포즈를 했던 곳이니까."

"맞아요. 제 프러포즈가 몇 번이나 거절당한 추억의 장소예요."

"거절했는데도 억지로 들이대던 추억의 해안이네."

서로가 네 잘못이라며 미묘하게 견제했다.

피해자가 누구냐 묻는다면 간발의 차이로 아코라는 느낌은 들지만.

“꿈이었어요. 루시안에게 마음을 전한 이곳에 우리만의 세계를 만들고, 계속 계속 둘이서 사는 거요.”

“세계는 못 만들지만…… 그래. 우리만의 공간이라면 만들 수 있을지도 몰라.”

슬쩍 지면을 만져보자 이곳은 구입 가능한 곳. 여기에는 집을 지을 수 있다.

“마을에서는 멀고, 편리하지도 않고, 남들 눈에 띄지도 않는 곳이야. 그런데도 괜찮아?”

“그렇기 때문이에요. 저랑 루시안만의 장소, 저랑 루시안만의 집. 그게 전부예요.”

“……알았어.”

녹아내릴 것만 같은 그녀의 미소를 보며 나는 고개를 끄덕일 수밖에 없었다.

그런 이유로—.

“우리 집, 여기로 할게.”

“시끄러! 나는 로그인 서버에서 멈춰서 못 본다고!”

“하우징 추가 첫날이라고는 해도 평일 저녁부터 로그인 게임이라니 나의 불찰이었다!”

우리 이야기를 옆에서 들으면서 마스터와 슈바인은 로그인 서버에 막혀서 악전고투하고 있었다.

오랜만에 로그인 게임 개최 중이다.

자기 집을 살 수 없다고 해서 로그인 연타를 게을리 하니까 그렇게 되는 거라고.

"저기 저기, 잠시 기다리면 평범하게 로그인할 수 있지 않아? 왜 그렇게 절박한데?"

아키야마는 ID와 비밀번호를 연타하는 두 사람의 마음을 잘 모르는 것 같다.

로그인 게임이란 저런 거라고.

저 녀석들도 즐겁게 하고 있는 거니까 괜찮습니다.

"근데 그 해안은 구체적으로 어딘데?"

"렌텔라이 해안! 음악이 좋고, 엄청 예쁜 곳이에요! 특히 저녁에는 바다에 잠기는 석양이 너무나도 로맨틱해서, 정말 최고라고요!"

"수도에서 30분이나 걸린다고…… 너희 집이니까 맘대로 하면 되지만."

"네. 맘대로 할게요!"

수도인 로드스톤의 토지는 너무나 비싸서 우리 둘의 돈으로는 도저히 손을 댈 수 없었다.

그래서 별수 없이 마을에서 떨어진 싸구려 토지를 사려고 했는데, 아코는 오히려 마을 안에 집을 짓는 것보다 기뻐 보였다. 이건 이것대로 다행이네.

"아코랑 루시안만으로도 500M 벌었으니까, 나랑 마스터가 제대로 돈을 모았다면 전부 합쳐서 1G 정도는 모았을 텐데……."

"거듭 면목이 없다……."

그렇게 풀죽어할 필요 없잖아. 길드 하우스는 언젠가 또 사자고.

"그럼 아코. 토지 사러 가볼까."

"네!"

수도에 새로 출현한 토지 관리 NPC 앞에는 사람들로 가득했다.

지켜보는 사이 로그인 게임을 빠져나온 정예들이 로그인해서 점점 사람이 늘고 있었다.

"좋아, 아코. 돈을 건네줄 테니까 사 와."

"……괜찮나요?"

"괜찮아. 언제나 거기서 나를 기다릴 거잖아?"

그러니 소유권은 아코에게 있어야 한다. 아코가 가장 많이 쓰는 곳이 될 테니까.

"그럼…… 구입, 할게요!"

아코가 버튼을 꾹 눌렀다.

잠시 시간이 지나고, 토지 소유권이 확정됐다.

"좋아. 무사히 샀네."

"사랑의 둥지를 위한 첫걸음이네요!"

"이름에 대해서는 상담 좀 하자."

조금 더 제대로 된 문패를 달자고.

"아~, 나도 그쪽 시스템 보고 싶은데! 전혀 로그인을 못

하잖아!"

"쓸모없는 자는 로그인도 뒷전으로 미뤄진다는 거군……
후후후……."

우연찮게 이렇게 된 거거든! 그런 식으로 말하지 않아도
돼!

"아, 나도 로그인됐어! 가게 근처에 있는 토지, 아직 팔리
지 않은 것 같아."

"으음. 아깝네."

"어차피 돈이 없으니까 괜찮다."

한동안 기다리자 서버도 안정됐다.

겨우 전원이 모인 시점에서 건물 건설 준비를 시작했다.

"건축 목재를 구입하고, 그걸 현지까지 옮기고, 그 후에
작업 개시라고 적혀 있네."

"문제의 건축 목재는 가격이 어느 정도인가?"

하우징용 NPC가 파는 모양이다. 건축 목재 칸을 봤다.

어디…… 우왓, 뭐야 이거.

"뭐야 이거. 돈만이 아니라 아이템도 필요하잖아."

"게다가 이거, 판매 전용이었던 아이템? 쓰레기 아이템이
잖아."

"운영진의 쓸데없는 배려라는 녀석인가……."

맙소사. 운영진의 순수한 선의가 튀어나왔잖아.

지금까지 쓰레기였던 아이템에 쓸 곳을 마련해줬습니다

☆ 라는 누구도 원하지 않았던 변경!

레어 아이템이라면 보관해뒀겠지만, 쓰레기는 갖고 있지 않거든!

그런 설정이 튀어나오면 다들 곤란하다고!

적어도 새로운 아이템을 추가하란 말이야!

"목재로 만든 집이 가장 간단하다고 되어 있지만 그것도 윌로우스의 나뭇가지가 3000개에다가 엘더의 나무 이슬이 2000개라니…… 엄청난 양인데."

"이래서는 애초부터 집을 지을 수가 없지 않나."

"하지만 필요하지? 그럼 지금부터 모으러 갈래?"

세테 씨는 적극적이었다. 그건 좋은 의견이지만, 나는 또 다른 문제가 발생했다는 정보를 이미 갖고 있었다.

"게시판에 적혀 있는데. 하우징에 필요한 아이템이 엄청 비싸졌으니까 드롭 몬스터가 나오는 맵이 사람으로 꽉 차서 아무것도 잡을 수가 없다더라."

"그렇게 되긴 하겠네……."

그렇게 이야기하는 사이에도 쓰레기였던 아이템이 고가로 노점에 늘어서 있는, 그런 카오스 상태의 마을로 변모해갔다.

업데이트 후의 축제 상태는 좋아하지만, 지금 이 상태는 곤란했다.

"이벤트에서 수수께끼의 아이템이 필요해지는 때 같네."

"매매 채팅도 엄청 붐비고 있어."

시세가 완전 엉망이다. 판다는 채팅보다 산다는 채팅 쪽이 더 비싼 것도 보이는걸.

"어쩔까. 이러면 집을 지을 수도 없겠는데."

"자력으로 모으기에는 시간이 걸릴 것 같군."

이대로 가면 뭘 위해 땅을 샀는지도 모르게 될 것 같다.

"저기, 저기."

필요 소재를 뚫어져라 바라보던 아코가 말했다.

"여기 가장 아래에 있는 대리석 집이라도 괜찮다면, 아마 지을 수 있을 것 같은데요."

"……뭐라고?"

"어, 지을 수 있어? 거짓말이지?"

어째서 지을 수 있는데? 그거 엄청 비싼 거 아니야?

아무리 아코가 돈을 모아놨다고는 하지만, 어지간하면 살 수 없을 정도로 재료 가격이 올라갔는데.

"그치만 이거, 필요 재료가 대지의 결정이랑 어스 엘리멘탈이잖아요."

"우왓, 진짜잖아."

필요한 소재의 대부분이 슬리퍼 선생님한테서 나오는 거였다.

이거 슬리퍼 선생님이 있는 맵은 지금껏 없었던 인구 밀도를 보이겠는데.

"그렇지만 이거 엄청 많은 양이 필요하잖아. 그렇게 많이 남았어?"

"하나도 안 팔았으니까 충분한데요?"

"그런 쓰레기에 지나지 않는 아이템을 팔지 않고 모아뒀던 거냐?!"

"기본적으로는 뭐든지 팔지 않고 모아두는데요?"

줍지 않아도 된다고 했는데도, 엄청난 헛수고였다.

헛수고였지만, 잘했어!

"아코 대단하네~."

"대, 대단한가요? 저 열심히 했나요?"

"우연이라는 점도 크지만…… 제대로 소재를 남겨둔 건 잘했네."

설마 하던 아코의 파인 플레이 덕분에 대부분의 소재가 모였다.

기본 소재 말고도 레어 아이템이 몇 가지 필요했지만 솔직히 레어 아이템 쪽이 편하다. 레어인 건 팔지 않고 남아 있으니까.

"그럼 이 대리석 집을 짓죠!"

"잠깐잠깐."

내 목소리를 듣고 아코가 손을 멈췄다.

"조금 전 확인했는데, 건축 소재가 되는 아이템은 단번에 가격이 올라갔더라."

"하지만 전부 있는데요?"

그렇지. 다 있어. 엄청 많다고. 아코는 굉장해. 이론의 여지가 없이 잘했어.

"그 소재를 전부 팔면, 좀 더 좋은 곳에 토지를 살 수 있어. 수도에 편리한 집을 지을 수 있다고."

"그건……."

아코는 화면을 바라보며 으음 하고 고개를 갸웃했다.

"하지만 그걸 위해 소재를 팔아버리면, 루시안과 저의 집을 지을 수 없잖아요?"

"그렇게 되겠지."

2주일 동안 필사적으로 노력해서 모은 소재를 전부 쓰는 거다.

지금은 엄청 혼잡할 슬리퍼 선생님한테 가서 모은다면 그 두 배인 한 달은 걸리지 않을까.

"그건 역시 싫어요. 두 사람의 집을 짓자고요."

"……다들, 괜찮아?"

잠깐 다른 멤버들에게 물었다.

"너희 돈이잖아. 마음대로 하라고."

"패배자에게 할 말은 없다."

"짓는다면 예쁜 집이 좋겠어~."

마스터는 너무 의기소침한데.

하지만 그렇다면야.

"그럼, 지어볼까!"

"네, 살게요!"

무사히 건축 소재를 구입.

커다란 당나귀에 실린 대량의 건축 소재가 나타나서 주변 사람들의 시선을 끌었다.

대리석 건축 소재를 산 사람은 거의 없을 테니까, 그야 시선을 끌겠지.

"이 소재를 머나먼 저편까지 옮겨야 하나."

"함께 천천히 옮기자고요."

인솔 NPC 취급인 당나귀를 끌고 가야 하는 상태로는 평소 사용하는 게이트로 워프를 할 수 없다.

게다가 당나귀는 느리다. 이래서는 건축 예정지에 도착하는 데 한 시간은 걸리겠네.

무거운 건축 소재 탓에 떨어진 이동 속도로 천천히 걸어서 렌텔라이 해안으로 향했다.

"때로는 이런 이벤트도 나쁘진 않군."

"이 게임을 시작하고 나서 이렇게까지 걸어가는 건 처음일지도~."

"나나코는 모험을 좀 더 해야 해. 이런 게 즐거운 거니까."

당나귀를 이끄는 우리 뒤를 세 사람이 따라왔다.

최근의 고문 같던 매일과는 정반대로, 느긋한 시간이 흘러갔다.

드문드문 습격한 몬스터를 모두 함께 격퇴하고 무사히 도착.

"여기에 세우면 되는 거네요."

"방향이랑 구조 틀리면 안 돼."

"네. 몇 번이나 확인했어요. 그럼…… 갑니다!"

아코가 꾹 버튼을 누르자 건축 소재가 떠올라서 저절로 조립되었다.

나머지는 오토 작업으로 흰 대리석 집이 만들어질 것이다.

"어떤 구조의 집을 골랐는데? 종류가 있잖아?"

"그야, 뭐…… 그치?"

네가 말하라고 아코에게 시선을 보냈다.

"조금 좁긴 하지만, 방이 네 개 있는 집으로 했어요."

"방이 네 개나 필요한가?"

마스터가 의아해했지만, 아코는 조금 자신만만하게 가슴을 펴고 말했다.

"저랑 루시안의 방, 마스터의 방, 슈의 방, 세테 씨의 방까지 해서 네 개의 방이 필요하잖아요."

씨익, 하고 만면에 미소를 지은 나의 신부.

그 만족스러운 얼굴을 본 것만으로도 오늘까지 노력한 보람이 있었다.

집의 건축은 꼬박 하루 가까이 걸린다고 한다.

온라인 게임식으로 생각하면 상당히 긴 시간이지만, 집을 짓는 시간이라고 생각하면 꽤 빨랐다.

게다가 자동적으로 건축 소재가 움직여서 착착 집이 만들어지는 모습은 보기만 해도 재미있어서, 그걸로 부활동이 끝나고 말았다.

귀가하고 저녁밥을 대충 때운 뒤 서둘러 LA에 로그인했다.

건축 중인 집도 보고 싶었지만, 그 이상으로 보고 싶은 것이 있었다.

◆루시안 : 야, 아코. 여기 여기.

◆아코 : 이런 마을 한가운데에 뭐가 있는 건가요?

의아한 표정의 아코를 데리고 온 곳은 수도에 있는 주택 지역이다.

지금까지는 그저 평평한 지면이 펼쳐져 있던 곳이었지만, 지금은 완전히 다른 광경이 보일 거라고 생각해서 찾아와 본 것이다. 결과는 예상대로였다.

◆아코 : 굉장하네요. 이렇게 잔뜩…….

◆루시안 : 장관이네.

이곳에서는 수많은 집이 동시에 건축 중이었고, 커다란 기둥이나 바닥이 공중을 날아다니고 있어서 대체 어느 판타지 세계인가 싶은 광경이 펼쳐져 있었다. 실제로 판타지이긴 하지만.

집 앞에는 주인과 그 동료들이 모여서 사진을 찍고, 영상을 찍고, 건축 소재를 파는 노점이 늘어서고, 축하의 폭죽이 여기저기서 솟아오르고 있었다. 축제 같다.

내일이면 대부분의 집이 다 지어질 것이다. 지금밖에 없는 이벤트였다.

◆아코 : ……이렇게 다들 즐기는 것도 좋아 보이지만요.

멍하니 바라보던 아코가 나에게 말했다.

◆아코 : 소중한 사람과 비밀스러운 장소를 만드는 것도 역시 멋지네요.

◆루시안 : 그러네. 옆집도 이웃집도 없으니까.

◆아코 : 이웃 관계가 편할 것 같아서 좋아요.

이럴 때만 커뮤니케이션 장애를 발휘하지 않아도 될 텐데.

◆루시안 : 슈바인이랑 마스터한테도 보여주고 싶네.

◆아코 : 두 사람 모두 없네요…….

물론 세가와는 컴퓨터가 망가졌으니까.

마스터는 한 명이 없는 탓에 왠지 텐션이 내려가서.

그 녀석이 없는 것만으로도 영 분위기가 살지 않는다. 언제나 넷이서 함께 있었으니까 그 탓이려나.

◆아코 : 빨리 컴퓨터를 살 수 있으면 좋겠네요.

◆루시안 : 하지만 그걸 위해 아르바이트를 뛰면 부활동을 못 하게 된단 말이지.

◆아코 : 그건…… 싫네요.

곤란한데. 어떻게 해야 좋을까.

컴퓨터도 이런 식으로 멋대로 조립돼서 만들어지면 좋을 텐데.

그렇게 건축되어가는 집을 멍하니 바라보던 중.

◆고양이공주 : 기다리라냐. 아무리 그래도 이건 지나치다냐!

그런 채팅이 흘러나왔다.

◆루시안 : …………

◆아코 : …………

◆고양이공주 : 예정으로는 3등지의 M사이즈였다냐! 이건 2등지의 L사이즈다냐! 게다가 짓고 있는 게 아무리 봐도 성이 되어 있다냐!

그런 소리를 하면서 커다란 가마에 올라타 건축 중인 성으로 이동하고 있는, 어디서 많이 본 사람의 모습.

나와 아코는 말없이 그녀를 바라봤다.

◆루시안 : ……옥좌, 앉을 것 같네.

◆아코 : 앉겠네요…….

성천사 고양이공주 교주 여왕님은 앞으로 대체 어떻게 되는 걸까.

응. 딱히 아무래도 좋나. 열심히 해주세요.

††† ††† †††

이런 날에 한해서, 라는 게 있다.

뭐라고 부르더라? 머피의 법칙이던가?

우리 집은 수업을 받는 중에 완성된다. 그러니까 부활동

이 시작되면 내부를 꾸미자! 라는 이런 중요한 날에, 이런 중요한 날인데, 왜 청소 당번이냐고.

"여기, 쓰레받기 빨리! 이걸로 마지막이니까!"

"왜 그렇게 열심인데, 니시무라."

시끄러워. 빨리하라고.

땡땡이치고 싶은 마음이 굴뚝같았지만 평소에 아코에게 잘난 척 떠들던 내가 땡땡이를 칠 수는 없었다. 대충 잽싸게 끝내고 바로 부실로 향했다.

"미안, 늦었어!"

문을 연 그곳에는—.

"어서 오세요, 루시안!"

에이프런을 입고 국자를 든 아코가 웃으면서 서 있었다.

"…………잘못 들어왔습니다."

홱 문을 닫았다.

그러자 이상한 광경도 눈앞에서 사라졌다.

예전에 이런 일이 있어도 초조해하지 않는 것이 커다란 발전이라고 생각한 적이 있었는데, 역시 발전할 필요는 없었다.

보고 싶지 않은 건 보지 않도록 하자. 그게 최고다. 틀림없다.

일단 오늘은 돌아가자. 그렇게 결심하고 발길을 돌리려던 그 순간, 이번에는 건너편에서 문을 열었다.

"어서 오세요, 루시안!"

"에에에에엑?!"

닫았는데 그쪽에서 나오기야?!

게다가 아직도 계속해?!

"너무 늦어서 걱정했어요. 자, 빨리 들어오세요."

"기다려. 이상해. 당연하다는 텐션으로 다가오지 마! 아직 복도에 사람이 있다고! 당연한 것처럼 내 가방을 들지 말란 말이야! 돌아가, 빨리 부실로 돌아가!"

아코의 등을 누르며 부실로 뛰어들어서 곧장 문을 닫았다.

굉장히 수상쩍다는 시선을 받았다. 아코랑 같이 있을 때 시선을 받는 건 익숙해졌지만, 아무리 그래도 저런 영문 모를 것을 본다는 시선은 마음이 아팠다.

"정말, 루시안도 난폭하네요. 괜찮아요, 저는 언제라도……."

"그런 건 됐으니까, 여기 부실이거든!"

적어도 둘만 있을 때 하라고!

미안, 거짓말. 역시 둘만 있을 때도 하지 마! 위험하니까!

이게 아니고, 부실, 여기 부실이라고!

내가 늦게 왔으니까 다들 와 있지 않을까 싶어 부실을 둘러보니, 아니나 다를까 전원이 모여 있었다.

세가와도, 마스터도, 아키야마도 있다.

하지만 그 전원이, 어째서인지 부실 끄트머리에서 무서워하며 이쪽을 보고 있었다.

“……저기, 여러분? 그런 곳에서 뭐해?”

“……그게.”

“뭐라 해야 좋을지.”

아키야마와 마스터는 좀처럼 말을 떼지 못했다.

그 둘을 대신해서 세가와가 떨떠름한 얼굴로 입을 열었다.

“네가 늦으니까 우리가 먼저 왔는데, 그때 이미 아코가 있었어.”

“아…… 혹시, 저걸 당한 거냐.”

에이프런에 국자를 장비한 아코가 어서 오세요, 라면서 튀어나오는 상황.

“그것만이 아니야. 네가 온 게 아니라는 걸 안 순간, 재 엄청난 표정으로 혀를 찼다고.”

“어서 오세요, 루시…… 칫, 이란 느낌이었어…… 무서웠어…….”

“부실에 왔는데 부원에게 혀를 차이는 부장은 대체 뭐지…….”

“너 대체 무슨 짓이야, 아코?!”

동료잖아. 다들 소중한 친구잖아. 혀를 차지 말라고!

“그, 그치만 루시안이 아니어서…….”

“내가 아니라도 혀를 차지 말라고. 애초에 학교에서 에이프런 같은 거 입지 마. 우리는 요리부가 아니거든?”

"……안 되, 나요?"

에이프런을 입은 아코가 불안한 듯이 나를 올려다봤다.

그야 안 되는 게 당연하지. 교복 위에 에이프런을 입은 아코는 평소 교복 차림에서 조금 달라진 모습이 오히려 시선을 끌고, 교복 차림보다 왠지 가슴이 강조된 것처럼 보이고, 가정적으로 보여서 좋은 느낌이고, 이래 봬도 아코가 요리 스킬이 높은 녀석이라는 건 알고 있고, 요컨대 전체적으로, 굉장히 귀여웠다.

"……귀여우니까 용서하마."

"루시안!"

"우리는 걔한테 혀를 차이는 손해를 봤는데……."

그것에 대해서는 정말로 죄송하다고 생각합니다.

악의는 없었으므로 용서해주십시오.

"그럼 슬슬 집도 지어졌겠지?"

"그러네요. 완성되어 있을 거예요."

로그인해서 우리 집으로 향하자 집 근처에서 다른 사람들이 기다리고 있었다.

"우리가 들어가는 건 너희들 다음이 좋을 거라 생각하니 근처에서 기다리마."

"대충 만족하면 들여보내 줘. 나도 안쪽 보고 싶으니까."

"정원에 무땅의 집 만들어도 돼?"

"미안하네. 고맙다."

무땅의 집은 나중에 만들어.

만들어진 대리석 집은 하얗고 매끈한 돌로 만들어진 고급스러운 외관이었다.

현실에서 만들면 대체 얼마나 들까. 이런 생각이 드는 건 역시 가난뱅이 기질이군.

"그럼 아코, 안으로 들어갈까."

"기다려주세요. 루시안."

내 루시안 앞을 가로막은 아코가 말했다.

"기왕이니까 미래의 예행연습을 하죠! 루시안이 돌아오는 걸 제가 맞이하는, 그런 식으로!"

그거 아까도 했잖아.

혹시 조금 전에도 예행연습의 일환이었던 건가.

"딱히 상관은 없지만, 나는 평범하게 들어가면 되냐?"

"네. 제가 들어간 뒤에 와주세요."

이렇게 그럴듯한 집을 지을 수 있었던 건 아코의 덕택이니까 딱히 싫지는 않았다.

집에 들어가는 아코를 배웅하며 잠시 기다렸다.

"네. 들어와 주세요."

"그럼……."

현관으로 다가가자, 문패에 『니시무라』라고 적혀 있는 것이 보였다.

집 이름, 니시무라 댁이냐…… 숨길 생각이 전혀 없는 실명 공개잖아…….

◆루시안 : 어, 어쨌든, 다녀왔다.

문을 열고 루시안을 안으로 들여보냈다.

역시 현관문은 대리석이 아니라 목재다. 그래도 충분히 고급스럽긴 하지만.

"어서 오세요, 루시안!"

◆아코 : 어서 오세요, 루시안!

옆에서 그렇게 말하는 것이 들리고, 동시에 채팅도 흐르며 아코가 현관으로 달려왔다.

게임 속의 광경이다. 게임 속의 광경이지만, 그래도— 왠지 선명하게 상상이 됐다. 분명 현실에서도 이렇게 될 것이라고.

내가 돌아오면 분명 아코는 현관까지 맞이하러 나올 것이다. 그렇게 내 얼굴을 보고, 내가 기운차면 기뻐하고, 지쳐 보이면 조금 걱정해줄 거라는, 그런 생각이 들었다.

현실과 게임은 절대로 혼동해선 안 된다. 하지만 틀림없이, 아코는 이렇게 해줄 거라는 생각이 들었다.

◆아코 : 그럼 루시안, 식사하실래요? 목욕하실래요? 아니면…… 저·부·터?

◆루시안 : ………….

이것도 분명 말하겠지. 그런 안타까운 확신이 들었다.

근데, 그렇게 말하는 이상 준비가 되어 있는 거겠지?

◆루시안 : 그럼 밥으로.

◆아코 : 죄송해요. 아직 준비가 안 돼서…….

◆루시안 : 그럼 될 때까지 기다릴게.

◆아코 : 아뇨. 밥이 준비가 안 된 게 아니라, 주방이 준비가 안 됐어요.

◆루시안 : ……그야 그런가.

이제 막 지었으니 내부도 아직이겠지. 요리 같은 건 못 하겠지.

◆루시안 : 그럼 목욕은…….

◆아코 : 그것도 아직 준비가 안 됐어요. 욕실이…….

그렇겠지.

욕실도 노송나무 욕실이라든가 여러모로 만들 수 있다고 적혀 있었으니까.

아니, 잠깐만? 그렇다는 건, 침실도 없다는 거지?

침대도 아직 준비가 안 됐다는 거지?

그럼 이걸 말해도 문제없지 않나?

◆루시안 : 그럼…… 아코로.

저·부·터, 의 부분을 지정해봤다.

분명 아코는 분한 듯이, 아직 침대가, 라고 말하겠지— 라고 생각했는데.

◆아코 : 알겠습니다. 저 말씀이시죠.

아코는 살짝 뺨을 물들이고는 마우스와 키보드에서 양손을 뗐다.

어, 왜 손을 떼는데? 채팅을 못 하게 되잖아?

혼란에 빠진 내 앞으로, 완전히 게임을 내버려 둔 채 다가온 아코가 에이프런 속으로 손을 숨겼다.

그리고 에이프런 속에서 스삭스삭 옷이 스치는 소리와 함께, 단추를 푸는 소리가 들려서— 잠깐 그만둬 이 멍청아!

“너 뭐 하는 거야!!”

“햐웃?!”

머리에 손날치기를 내려치자 아코는 후냣 하고 고개를 수그렸다.

에이프런 틈새에서 반쯤 열린 교복이 보였지만, 전력을 다해 깨닫지 못한 척을 했다.

아코는 부끄러운 건지 쑥스러운 건지 화내는 건지 모를, 아무튼 새빨간 얼굴로 말했다.

“우우우, 루시안. 가정 폭력이에요!”

그럼에도 막지 않으면 안 되는 때가 있다.

그래, 특히 엄청나게 두근두근한 얼굴을 한 아키야마가 이쪽을 보고 있을 때가 그렇다.

“괜찮아. 계속해 계속해. 교복 에이프런 플레이에서 교복을 벗고 알몸 에이프런으로 흘러가는 전개! 오타쿠 커플은 역시 찐한 플레이를 하네!”

"안~한~다~고!"

지금 그 말, 나에게는 엄청난 치명상입니다.

제발 용서해주세요.

"됐으니까 나나코는 그 시 오터(Sea Otter)를 쓰러뜨리라고. 경험치 꽤 많이 주니까."

"네~에."

세테 씨가 우리에게서 시선을 돌려서 겨우 한숨 돌릴 수 있었다.

"농담이라도 기겁하겠다고, 아코. 모두가 있단 말이야."

"정기적으로 대미지를 주지 않으면 루시안의 가드를 풀 수 없지 않을까 해서……."

그 예상, 그다지 빗나간 것 같지 않으니까 그만둬.

어찌 됐든 안쪽을 봐야 하므로 아코랑 함께 집으로 들어갔다.

안쪽도 깔끔한 석조였고, 일본인에게는 익숙하지 않지만 겉모습만큼 호화로운 건 틀림없었다.

2층 건물이고, 꽤 넓고, 잘 지어졌다. 흠잡을 데 없는 단독 주택이다.

◆루시안 : 하지만…… 왠지 쓸쓸하네.

◆아코 : 그러, 네요.

왠지 싸늘하다. 그런 식으로 느껴졌다.

아직 가구가 없으니까 넓게 느껴지는 걸지도 모른다.

하지만 아코랑 둘이서 거실에 앉아 있어도 왠지 진정이 안 된다는 느낌만 들었다.

◆아코 : 가구를 놓아볼까요. 바다가 보이는 방이 있으니까 거기를 침실로 하고 싶어요.

◆루시안 : 으음, 딱히 상관은 없지만…….

그러면 이 공허한 분위기가 사라질까?

표면을 꾸민다고 해서 해소되는 걸까?

마치 아무도 없는 아지트에서 움직이지 않는 채팅 윈도를 빤히 바라보는 듯한—.

그런 감각이 들었다.

◆아코 : …………

같은 걸 느낀 건지 아코도 묵묵히 화면을 보고 있었다.

"저기, 니시무라. 아코. 슬슬 우리가 들어가도 될까? 한 명당 방 하나잖아?"

그때, 옆에서 세가와가 그런 말을 걸었다.

"무기고 만들고 싶어, 무기고. 들어간 순간 가슴이 두근거리는 걸."

"내 방도 있다고 했던가. 가능하면 서재 같은 걸로 하고 싶다만."

"무땅의 집을 만들고 싶어~."

조금 반응이 늦어진 사이 세 사람 사이에서 대화가 퍼져 나갔다.

◆루시안 : ……뭐, 괜찮나?

◆아코 : 네. 처음부터 그럴 생각이었으니까요.

그럼 기다리게 두는 것도 미안하니까.

"알았어 알았어. 빨리 들어오라고."

"좋았어. 실례합니다~."

"무땅의 집은 어디?"

"돈만 모았다면 여기서 다녀왔습니다, 라고 말할 수 있었겠다만."

"그냥 말해도 되는데?"

"그래도 아코가 어서 오세요, 라고 말하는 건 루시안이 상대일 때뿐이잖아?"

떠들썩한 분위기 속에서 세 사람이 들어왔다.

그리고는 멋대로 문을 열고 아이템을 척척 놓기 시작했다.

"아, 이 방이 입구에 가까워서 좋네. 이 방 써도 돼?"

"서재는 역시 2층 안쪽에 있어야지. 이 방을 쓰기로 하마."

"저기 저기, 거실 써도 돼? 정원에 무땅의 집을 설치하면 여기서 볼 수 있으니까."

◆루시안 : ……응, 뭐.

◆아코 : 좋으실 대로 하세요…….

침실로 예정된 방에는 우리가 있으니까 나머지는 마음대로 써도 된다.

게다가 떠들썩하고 배려도 없지만— 쓸쓸한 마음은 완전히 사라졌다.

◆아코 : 역시 이게 좋네요.

◆루시안 : 그런 것 같네.

채팅만으로 대화를 나누고, 웃으며 마주 봤다.

"기왕 이은 거, 열심히 꾸며서 굉장한 방으로 만들 거야. 하우징 콘테스트에도 내보낼 수 있는 녀석으로."

"호오, 재밌겠군. 대리석 집은 꽤 드물지. 상당히 눈에 띄지 않을까?"

"그럼 열심히 꾸며서 우승하고 상금 10만 엔 받을까?"

"이봐, 우리 집이라고. 뭘 멋대로—."

도중에 말문이 막혔다.

곧바로 힘차게 세테 씨 쪽을 바라보자, 다른 네 사람도 동시에 그녀에게 시선을 보내고 있었다.

"어라, 왜 그래?"

"왜 그러냐니…… 상금? 뭐야 그게?"

"공식 사이트 보라고 했었잖아. 안 봤어?"

의아해하며 말하는 세테 씨를 보며 세가와가 거북한 듯이 뺨을 긁었다.

"그치만 콘테스트 같은 건 흥미 없었고……."

"차암! 하우징 콘테스트는 협찬 기업이랑 운영진, 플레이어의 투표로 결과가 정해지고, 대상은 상금 10만 엔이라고 적혀 있었어!"

"……진짜로?"

거짓말해서 어쩔 건데? 라며 세테 씨가 불만스럽게 말했다.

10만 엔, 10만 엔이라니. 의외로 무지막지한 액수의 상금이었다.

"……10만이나 있으면, 컴퓨터를 살 수 있겠네."

세가와가 싸늘할 정도의 낮은 목소리로 말했다.

"게다가 이 집이라면 승산이 있을지도 모른다고 마스터가 그랬지?"

"마, 말했다만."

"나나코, 이런 거 특기지? 딱 좋은 느낌으로 집을 꾸민다든가, 즐겁게 할 수 있지?"

"좋아하긴 하지만…… 아카네?"

확 고개를 쳐든 세가와가 한마디로 모든 것을 결정했다.

"하우징 콘테스트! 출전해서, 반드시 이기자!"

"저, 저기, 슈? 우리 집인데요?"

멋대로 출전을 결정한 세가와에게 아코가 조심조심 항의를 시도했다.

"무슨 소리야. 너희들의 사랑의 둥지가 전 플레이어의 눈에 들어올 기회라고? 꿈의 마이 홈을 자랑하고 싶지 않아?"

"알겠습니다. 하죠!"

즉답이었다.

"아코…… 너는……."

"열심히 해요, 루시안! 우리 집이 세계에 데뷔하는 거예요!"

나의 신부는 어째서 이렇게 쉬운 여자인 걸까.

그게 귀엽다고 단언할 수 있을 정도로 나는 달관하지 못했습니다.

"저기 말이다. 세가와. 너 남의 집을 사용해서 돈을 벌려는 거냐?"

"전부 달라고는 안 할 거야. 다섯이서 나눠도 2만 엔이잖아. 상당한 도움이 된다고."

"아, 그래?"

그렇게 태연히 말하면 왠지 지적한 내가 더 부끄럽잖아.

"그보다 만약 이기면 내 몫은 줄 건데."

"내 몫도 상관없다."

"정말? 6만 엔이나 있으면 확실히 살 수 있겠지? 좋~았어. 의욕이 나기 시작했다!"

세가와의 눈동자가 반짝반짝 빛났다.

일부러 그걸 막을 이유도 솔직히 없었다.

"솔직히 나가도 아무런 손해가 없긴 하지."

"원래부터 꾸밀 예정이긴 했다. 잘되면 대박이니, 한번 해보기로 할까."

"아카네가 게임에 돌아오면 기쁘니까."

그렇지.

이 녀석이 없으면 역시 쓸쓸하니까.

어차피 이것도 이벤트다. 할 수 있는 건 뭐든 해보자고.

"그럼 이 집으로 꿈을 이루기 위해! 리폼 작전, 스타트야!"

그렇게 말은 했지만, 오타쿠의 길을 똑바로 질주하던 우리는 그다지 센스가 없다.

특히 외관, 집의 겉모습은 아이디어가 전혀 떠오르지 않았다.

"지금은 막 지은 상태의 평범한 집이니까."

"여기서 겉모습이랑 내부를 바꿔서 살고 싶은 마음이 드는 집으로 만들면 되는 거군."

이럴 때 믿음직한 건 바로 그 사람.

센스에 자신이 있는 누님, 세테 씨다.

"세테 씨. 잘 부탁해."

"이런 건 조금 특기니까, 맡겨준다면 열심히 해볼게."

"그 말을 기다렸어요!"

일단 가구와 인테리어의 레시피를 체크해봤다.

기초 소재를 사면 그것을 조합해서 자유롭게 만들 수 있는 것 같다.

장비나 아이템도 벽에 장식할 수 있는 모양이다. 호오, 재미있네.

고가의 크래프트 가구도 있는 것 같지만 그런 건 초대형이다. 그랜드피아노라든가, 샹들리에 같은 것. 우리 집에는 들어가지 않는다.

"그렇지만 가구 종류가 많다. 뭘 만들지, 뭘 장식할지가 중요해지겠지."

마스터가 팔짱을 끼고 말했다.

거기서 세테 씨의 목소리가 겹쳤다.

"통일성을 줄지 개성을 살릴지 갈리겠네."

"그 소리는?"

"집 전체를 통틀어서 살고 싶다고 생각하게 만들던가, 이 방에서 살고 싶다고 생각하게 만들던가, 려나?"

"아, 그렇구나."

모델하우스처럼 꾸민다면 통일성이 필요하다.

방 하나 방 하나에 매력을 느끼게 하려면 개성이 필요하다.

아마 그런 이야기이리라.

"가끔 보는 데이 트레이더의 방 같은 곳은 엄청 끌리던데……."

"모니터가 열 개 정도 있는 그곳인가. 나도 살고 싶어."

"누운 채로 컴퓨터를 쓸 수 있는 방 같은 곳도 좋겠네요!"

"그럼…… 다들 개성적인 방을 좋아하는 모양이니까 각자 자신의 방을 꾸며볼까?"

"그렇게 할까요."

원래부터 쓸 예정이었던 방을 본인이 꾸미게 되었다.

입구와 가까운 방을 무기고로 삼아 슈바인에게, 2층의 방 하나를 서재로 삼아 마스터에게, 건물 외부와 거실을 세테 씨에게 맡겼다.

각자 방으로 가서 재빨리 작업 개시다.

세테 씨는 바로 바깥으로 나와 정원을 꾸미기 시작했다. 이것저것 아이템을 뿌리고 있다.

"건물 바깥은 어떻게 할 건가요? 꽃밭이라거나?"

"으음, 흔한 방식으로 꾸며봐야 재미없잖아. 게다가 집이 대리석이라서 엄청 하야니까 어중간하게 커다란 장식으로 승부하는 것보단 작은 것들의 숫자가 중요해. 어쨌든 쓸 수 있는 건 전부 시험해볼게."

"……부탁합니다."

내가 입을 열 수 있는 세상이 아니었다.

마스터도 세가와도 자기 방을 꾸미고 있다.

나도 바로 움직여야겠다.

"우리 방도 열심히 하죠."

"우리 방은 어떻게 꾸밀까."

우리 방이다. 나와 아코의 담당은 둘이서 쓰는 한 방이었다.

돈은 없고, 땅도 좁다. 넓은 집이라고는 할 수 없기 때문에 세테 씨에게 한 방을 양보하자 자동적으로 아코와 나는 같은 방이 되었다.

그쪽도 세테 씨가 의욕을 내는 이유라고 생각한다.

대부분의 자금과 자재를 소모한 우리 부부가 안쪽에 있는 방 하나만 쓰는 걸 감수해야만 하는 상황이니까.

감수라기보다는 아코의 리퀘스트였지만.

"일단 커다란 침대를 놓죠."

"너는 그쪽부터 접근하는 거냐. 하긴 그런 녀석이었지."

"싫으신가요? 아, 오히려 작은 침대에서 함께……."

지적하는 건 그 부분이 아니야.

"일부러 침대를 놓아서 어쩔 건데."

"자면 HP랑 MP가 전부 회복돼요."

"실용품이냐!"

"게다가 고급 침대라면 아래쪽 수납장을 클릭해서 창고를 열 수 있어요."

"큭, 운영진 놈들. 쓸데없이 편리한 기능을 넣다니."

이래선 설치할 수밖에 없잖아.

창고까지 직접 가지 않아도 창고를 열 수 있다니 너무 편리하다.

"그럼 방의 테마는 침실로 갈까."

"부부 침실이네요!"

그렇긴 하지만 아코가 그런 말을 하니 왠지 등골이 오싹했다.

아코는 그런 내 반응에는 아랑곳하지 않고 흥흥 콧노래를 흥얼거리며 가구 목록을 바라봤다.

"앗, 가구 중에 예스노 베개가 있어요."

예스노 베개라니, 베개 앞면과 뒷면에 YES랑 NO가 적혀 있는 그거?

또 낡아빠진 게 들어 있군.

"대체 뭘 목적으로 한 가구인데……."

"요컨대 오늘은 야한 채팅을 하고 싶은지 아닌지를 예스나 노로 표현하는 거예요."

"미안, 내가 말실수 했어. 목적은 설명하지 않아도 돼."

두 번 다시 듣고 싶지 않은 단어라고 생각했건만 드디어 채팅이 아니라 입으로 듣고 말았다. 아아 정말, 이런 걸로 두근거리는 내 자신이 바보 같잖아, 그만두라고.

"그럼 자재는 양털 세 개에 붉은 휘석 두 개니까 만들게요."

"잠깐잠깐 만들지 마."

이 집은 하우징 콘테스트에 출전할 집이란 말이야.

내부까지 전부 공개될 예정이라고.

"양면이 NO인 노노 베개라면 허락해줄게."

"지금 루시안은 그런 소리를 하고 있지만요! 루시안도 때로는 저한테 두근거려서 예스를 내고 싶은 날이 올지도 모르잖아요."

"그건 올지도 모르겠다만."

"어라, 루시안도 인정하는 건가요?"

왜 그렇게 의외라는 반응인데.

그래도 게임 속에선 부부잖아.

"잊어버렸을지도 모르지만, 나는 너를 좋아한다고?"

"그, 그렇죠! 그러네요!"

가끔은 말하지 않으면 멋대로 짝사랑 중이라는 표정을 짓는단 말이지.

"그럼 베개를 설치하죠."

"나는 그걸 전제로 해도 노니까 필요 없다고 했는데."

부부니 뭐니 하는 소리를 꺼내지 않는다면 지금이라도 여유롭게 예스긴 하지만.

"애초에 한지붕 아래에 길드원이 있다고."

"아, 그러고 보니 그랬죠."

그건 역시 곤란하다고 생각했는지 아코도 순순히 받아들여 주었다.

"그럼 베개는 우리 집을 마련하고 나서 사기로 할까요."

"그렇게 해줘."

힘겹게 시작된 침실의 인테리어 설치는 막상 뚜껑을 열어보니 의외로 순조롭게 진행되는 중이었다.

뭐라고 할까.

"이 가구 커튼은 딱히 커튼레일이 없어도 천장이 있으면 설치할 수 있는 것 같으니까, 벽 근처에 짧은 커튼을 놓고 뒤쪽에 조명을 달죠. 간접 조명으로 침실 같은 분위기를 낼 테니까, 마력석 세 개로 만들 수 있는 광량 중(中) 라이트를 달게요."

"그, 그래라."

"침대는 일단 킹사이즈 정도로 만들어볼게요. 침대는 흔히 벽에 붙이고 싶어 하지만, 겉으로 보이는 센스를 중시한다면 양쪽에 어느 정도 공간이 없으면 오히려 좁게 보이니까요."

"그런가요……."

"하지만 최종적으로는 창문에 달 커튼을 어떻게 할지가 문제네요. 가구 전체의 조화를 유지하는 것이 커튼이니까 여기서 모든 방향성이 정해지는데……."

"저기, 아코 양?"

"네?"

기억력이 나쁜 아코라고는 생각할 수 없는 기세로 레시피를 학습해나가고 있다.

이미 나로서는 손을 댈 수가 없습니다.

뭐가 그리 기쁜지, 아코는 정말로 기운찼다.

"저기…… 왜 침실을 그렇게 진지하게 꾸미는데?"

"언젠가 찾아올 저랑 루시안의 집을 더욱 좋게 만들기 위한 예행연습이니까요!"

그 집은 현실? 아니면 게임 속?

게임 속이지? 게임 속에서 우리만의 집을 지을 때 말하는 거지?

"즐거워 보이니까 딱히 상관은 없다만, 일단 확인."

"뭐 말인가요?"

"그다지 희망 사항이 있는 건 아니니까 아코한테 의욕이 있다면 맡겨도 되지만 말이지."

하트형 침대를 놓겠다는 말을 꺼내면 역시 막겠지만, 기본적으로는 맡기는 것에 불만은 없다. 신경이 쓰이는 건 하나뿐.

"가능한 범위 안에서 나도 의견을 내는 쪽이— 아코가, 즐겁나?"

"같이 생각하는 편이 즐거워요."

"그러냐."

그럼 열심히 생각해보기로 할까.

"나는 역시 유럽풍의 잔잔한 분위기가 좋은데."

"인형 같은 걸 놓고 싶긴 하지만, 분위기가 흐트러지지 않을까요?"

"그럼 캐노피 같은 거라도 달까? 하얀 레이스 같은 걸 늘어뜨리고."

"있다면 하고 싶네요! 여자아이의 꿈이에요!"

왁자지껄 떠들며 장식을 달았다.

한동안 사무적인 대화가 넘쳐나던 부실에서 180도 바뀌어, 모두의 즐거운 소리가 들렸다.

“우핫! 이거 봐봐. 흑염(黑炎)의 트윈 블레이드는 장식하면 이런 느낌이 난다고! 옆에 머스킷 같은 걸 놓으면 판타지와 현실의 협연이라는 느낌이라 완전 좋아!”

“이 데스크, 어디서 많이 본 디자인이라 생각했는데 저명한 가구 메이커를 완전히 베꼈더군— 그러나 그 배짱은 좋다! 실로 내 취향이다!”

“어라, 그 레시피 중간의 나뭇조각…… 아, 역시 설치할 수 있네! 흐흐응? 아래에 물건만 있다면 물리 법칙도 상관없구나? 그럼 이 선반을 토대로 삼아서 공중으로 뻗어 나가면…….”

마인크래프트냐.

“다들 즐거워 보이네.”

세가와는 무기고를, 마스터는 서재를, 세테 씨는 거실과 정원을 꾸미고 있다.

그동안은 자금을 모으기 위해 돌아다녀서 돈만이 아니라 스트레스도 쌓이고 있었다.

그것이 겨우 해방되어, 다들 신 나게 LA를 즐기고 있다.

하지만 끝은 찾아온다. 일곱 시가 지나면 부활동은 끝이다.

“아직, 아직이야. 장식이 다 끝나지 않았어! 조금만 더! 앞으로 조금만 더.”

우리는 집에 가서 다시 할 수 있지만 그럴 수 없는 세가와는 울상이었다.

"그러니까 그건 안 된다고 했지 않나."

"우리도 부활동 시작할 때까지 안 건드리고 기다릴게."

"우우우우우, 반드시 이길 거야. 이겨서 10만 엔짜리 컴퓨터를 살 거라고."

"그래. 내일을 위해 이미지를 생각해둬라."

서버 점검이 끝난 것이 오후 다섯 시.

그리고 하우징 콘테스트의 기한은 추가되고 나서 딱 사흘 후, 마찬가지로 오후 다섯 시다.

해내겠어. 누구에게도 지지 않을 멋진 집을 만들어주마.

††† ††† †††

"자, 그럼. 엔트리는 마쳤다. 오후 다섯 시에 집의 상황이 서버에 저장되고, 그때 디자인으로 엔트리하게 되지. 그때까지 모든 걸 끝내도록 하자. 각자 진척은 어떤가?"

"침실은 대부분 완성됐어."

"캐노피 부분에 레이스를 쓰고 싶어서 크래프터한테 의뢰했어요. 그걸 달면 거의 완성이에요."

"무기고도 괜찮은 느낌이야. 공성전에서 쓰던 대형 대포를 장식할 수 있을 것 같으니까 그게 메인이야!"

"위험하구만."

"화려한 게 최고 아니야?"

너한테는 그렇겠지. 네 마음속에서는.

"서재 쪽은 마술서를 약간 사면 책장이 메워지는 부분까지 진행됐다. 세테는 어떠냐?"

"그다지 좋지 않을지도~."

어라, 세테 씨한테서 약한 소리가 나오다니.

신기하긴 하지만 매우 곤란했다. 이런 현장에서는 믿고 있었건만.

"무슨 일인가요? 비전이 떠오르지 않는다거나?"

"아니. 그건 보이고 있어. 보이고 있긴 하지만 소재가 부족해서."

"가구에 쓰는 소재는 대부분 가게에서 팔지 않아?"

그렇다. 소재는 팔고 있다.

커다란 건물에 쓰이는 대형 가구 소재는 레어 아이템이 필요하지만, 우리가 쓰는 작은 가구는 가게에서 파는 소재로 만들 수 있도록 밸런스가 잡혀 있다.

"그게 말이지. 저기…… 원래는 이 집에는 쓸 수 없는 초대형 가구를 만들 레시피에 세쿼이아의 나뭇조각이라는 게 있어. 그걸 갖고 싶은데."

"그런 걸 뭐에 쓴다는 겁니까."

"초대형가구라니 우리 집에는 필요 없는데요?"

"그게 말이지. 이거 봐봐."

세테 씨가 집 안쪽, 거실로 향했다.

그곳에는 낯선— 아니, 낯익은 내부 장식이 있었다.

“뭐야 이거, 나무 바닥? 아니, 플로어링?”

“이런 내부 장식이 있었던가?”

“없어요. 전부 봤는걸요.”

“이거 말이지. 그 세쿼이아의 나뭇조각이야. 레시피 안에 있는 소재도 억지로 놓을 수 있지 않을까 싶어서 해봤는데 엄청 괜찮은 느낌이 나더라고.”

레시피 안에 들어 있는 제작 아이템을 그냥 놓은 거야?

그보다 놓을 수 있었어? 설명서에는 놓을 수 있다고 적혀 있지 않았는데?

“굉장하네. 이런 사용법은 게시판에도 적혀 있지 않았어.”

“어떻게 놓을 수 있다는 걸 알았는데? 레시피에는 내부 장식품이 아니라 제작 소재라고 적혀 있었는데.”

“그치만 겉으로 보면 왠지 모르게 플로어링에 쓰는 나무 같았는걸.”

이걸 왠지 모르게 알 수 있는 건가.

역시 센스에 자신이 있는 누님. 얕볼 수 없다.

“그래서 기왕 하는 김에 모든 방에 플로어링을 깔고 싶은데, 원목 100개 정도를 써야 겨우 1마스가 플로어링이 될 정도야. 게다가 커다란 가구를 만드는 사람이 모으고 있는 것 같아서, 세쿼이아의 원목을 살 수가 없어…….”

그렇군. 거대 길드는 초대형 가구를 사용한 화려한 저택을 만들고 있을 테니까.

대량으로 필요하겠지.

옛날에는 쓰레기였던 것이 지금은 우리는 좀처럼 손에 넣을 수 없는 소재로 탈바꿈했다.

근데 말이지, 어디서 들어봤는데. 세쿼이아의 원목이라는 소재.

"……마스터."

"……뭐냐."

말을 걸어보니, 마스터는 엄청나게 거북한 듯이 대답했다.

뭐냐, 가 아니라고. 기억하고 있잖아.

"시세 조작에 실패해서 쌓아둔 쓰레기 아이템 아니야? 세쿼이아의 원목. 마스터가 산더미처럼 갖고 있잖아."

"어, 정말?"

아키야마가 화악 표정을 빛냈지만, 마스터는 드물게도 소곤소곤 말했다.

"……미안하다. 버려버렸다."

"엑?!"

버렸어? 버렸다고? 그걸 버렸단 말이야?

잠깐, 그래 봤어. 마스터가 가게 안에 세쿼이아의 원목을 뿌리는 걸!

그때 전부 버린 건가!

"거짓말. 그렇게 중요한 걸 버려버렸다고?"

"그때는 그저 쓸모없는 아이템이었단 말이다…… 실패했다…… 크, 어째서 이런 때……."

마스터는 머리를 끌어안고 키보드 위에 엎어졌다.

어쩔 수 없지. 그 시점에서는 그냥 쓰레기였으니까.

운영진이 쓸데없이 배려해서 이런 사태가 벌어졌을 뿐, 마스터는 나쁘지 않아.

"어쨌든 없는 건 어쩔 수 없지. 있는 범위 안에서 방도를 찾아보자."

"루시안, 그거라면 엄청 많은데요?"

"그래, 엄청 많…… 있어? 있다고?"

"네."

그렇게 대답한 아코의 인벤토리에서 대량의 세쿼이아의 원목이 터져 나왔다.

끊임없이 우르르 튀어나오는 원목, 원목, 원목!

"왜 네가 갖고 있는데?!"

"그치만 마스터가 버리고 있길래 아깝구나 싶어서."

"아코, 네가 주운 거야?!"

내가 방치한 아이템을 전부 주운 것처럼, 마스터가 버린 아이템도 주웠던 거냐!

평소였다면 명백하게 쓸데없는 행동이었지만, 이번만큼은 나이스! 잘했어!

“잘했어, 아코! 칭찬해줄게!”

“감사합니다!”

목을 울리며 다가오는 아코의 머리를 스윽스윽 쓰다듬어 줬다.

에이프런 차림의 아코를 쓰다듬으니 왠지 이상한 기분이 들었지만, 그 마음은 꾹 참았다.

“게다가 우리만 있었다면 쓰지 못했을 거야. 세테 씨의 파인 플레이네.”

“그렇지? 나도 칭찬해줄래?”

“잘했어, 잘했어.”

아코는 머리를 쓰다듬어줬지만, 아키야마가 상대였으므로 입으로만 말했다.

“우……. 상관은 없지만.”

왠지 조금 슬프게 보이는 것 같은데? 기분 탓?

“그렇게 됐으니 빨리 가공해서 모든 방에 플로어링을 깔도록 하자.”

“나는 이 목재로 베란다 만들어볼게. 우드덱 같은 거.”

“집 안에서는 일단 가구를 빼놓고 나서 다시 깔아야겠네…… 시간이 없겠어.”

“바로 시작하죠!”

“좋아, 작업 개시!”

다른 집은 바닥이 돌이거나, 기껏해야 카펫을 깔고 있을 때 우리만 평범한 집처럼 플로어링이 되었다.

정원에는 채소밭, 화단, 펫인 무땅의 집도 만들어놨다.

이제는 센스가 정말 좋은, 따스한 일반 가정으로밖에 보이지 않았다.

“침실이 완성됐어요!”

“복도의 교체도 끝났다.”

“거실 끝! 현관 내부도 딱 좋은 느낌이야!”

“훗훗훗, 발밑이 나무가 된 것만으로도 서재의 퀄리티가 세 배는 높아졌군.”

“무기고도 대포를 다시 놓으면 끝이야. 나 참, 어떻게든 시간에 맞췄네.”

마감까지 5분을 남겨두고 콘테스트 응모작이 완성됐다.

현실에 있는 고급 주택을 그대로 따온 느낌으로, 정말 잘 만들어졌다.

사이즈 S의 5등지라고는 생각하지 못할 퀄리티다. 우리 집이지만 정말로 살고 싶을 정도다.

“근데 평범하다면 평범하네.”

“플로어링에 대해서는 아직 들키지 않았으니까 그 점은 평가받을 수 있을 것 같긴 한데.”

외관이 평범하니까 과연 그걸 보러 와줄지 모르겠다.

성 같은 집도 이미 만들어진 가운데 과연 우리 집이 승부의 장에 설 수 있을까.

“오케이, 대포도 설치됐어. 근데…… 음, 조명이 조금 부족하지 않나?”

“아, 그거라면 이건 어떤가요? 이런 분위기니까 역시 횃불을 놓는 곳을 다는 거예요!”

“무기고 같네. 설치해보자.”

“시간 아슬아슬하다고. 서둘러.”

“네~에.”

횃불을 든 아코가 깡충깡충 무기고로 들어갔다.

……왠지 조금 불길한 예감이 들었다.

“저, 저기, 너희 둘. 기다려봐.”

“그럼 아코. 이쯤에 횃불을 놔둬.”

“네, 어어, 설치해야 하니까 일단 장비에서 벗기고…… 앗.”

아코가 조작하는 곳은 내 바로 옆이다. 모니터도 시야에 들어온다.

장비를 벗기려고 인벤토리를 연 아코가 잘못 클릭해서 바로 눈앞에 있는 대포를 클릭해버리는 것이 보였다.

어이, 라고 막을 새도 없었다.

횃불을 든 아코의 손이—.

공성전용 대형 대포로 내려갔다.

“어이, 위험—.”

“앗.”

"응?"

전원의 화면이 동시에 빛났다.

눈부신 빛, 그리고 화약이 터지는 굉음. 덧붙여— 뭔가가 무너지는 소리.

모든 것이 잦아들었을 때, 그곳에 있던 것은—.

"구, 구멍, 구멍이!"

"우리 집에…… 커다란 구멍이……."

"어머머."

"부서졌어요!"

"훌륭하게 구멍이 뚫렸군……."

발사된 대포알은 비스듬히 위쪽으로 발사됐는지 무기고와 바깥을 구분 짓는 벽, 그리고 천장에 커다란 대미지를 가했다. 무기고의 벽과 2층에 있던 침실 바닥 대부분의 내구도가 날아갔고, 그 부분이 커다란 구멍으로 변해 있었다.

"이거 수리는?"

"가능하다. 관리 룸의 수리 커맨드를 써서 파손 상황에 따라 돈을 내면—."

그때, 서버에 순간 랙이 걸렸다.

덜컹 움직임이 멈추고, 직후 메시지가 표시되었다.

▶하우징 콘테스트의 저장이 완료되었습니다.◀

▶참가자 여러분은 등록 페이지에서◀

▶갱신된 하우스 정보에 어필 포인트를 기입해주세요.◀

▶투표는 오전 0시부터 24시간 진행됩니다.◀

▶유저 여러분은 적극적으로 투표해주세요.◀

"저장, 돼버렸네."

"……어쩌지?"

"이건, 아무래도……."

근사한 곳이었건만, 아름다운 집이었건만, 이상적인 공간이었건만.

여기에 있는 것은 벽에 커다란 구멍이 뚫린 어처구니없는 폐가였다.

"이럴 수가…… 저랑 루시안의 꿈의 집이……."

"이게 무슨 일이야."

우리는 멍하니 화면을 바라볼 수밖에 없었다.

"죄송해요. 제가 잘못해서 스위치를 눌러버린 바람에……."

"아니야, 내가 대포알을 빼뒀으면 됐을 거야. 그런데 괜히 들떠서 대포 같은 걸 놔두지 않았다면 아무 문제도……."

말을 꾹 삼킨 슈바인이 우리에게 고개를 숙였다.

"……미안."

기어들어가는 세가와의 목소리.

"너희 집인데, 나를 위해 콘테스트에도 나가주고…… 모두의 돈을 쏟아부어서, 아이템도 엄청 샀는데…… 그런데, 전부 엉망이 됐잖아."

“바보, 그런 건 신경 쓰지 마.”

“미안, 정말…… 미안…….”

사과할 필요 없어.

화속성으로 버튼을 누르면 발사되므로 화기 엄금에 주의를 기울일 필요가 있었다.

“신경 안 써, 신경 안 써. 놀이니까, 그치?”

고개를 숙이고 떨고 있는 세가와의 어깨를 아키야마가 안아줬다.

나도 후회만은 남았다. 좀 더 조심했으면 좋았을 것을. 마지막의 마지막에 와서 실패할 줄이야.

정말, 진짜로 꿈같은 집이었는데, 끝나고 나니 전부 엉망이 되어버렸다.

전부 엉망으로— 잠깐, 기다려봐.

꿈의 집…… 드림 하우스……. 폭파 전과 후…… 끝나고 보니 전부 엉망……?

“그렇, 구나. 그래. 그렇지! 역시 대단하네, 슈바인! 안목이 있다니까!”

“뭐? 어, 뭐가?”

뭐가? 가 아니야. 이거야. 이거면 된다고.

“최대의 걱정거리가 해결됐어. 해보자, 어필 포인트 기입하자고!”

††† ††† †††

렌텔라이 해안에 지어진 주택 한 채, 니시무라 댁.

그것은, 누구나 좋아할 아름다운 집이었습니다.

경치가 아름다운 언덕 위에 지어진 단독 주택.

설계자의 센스가 느껴지는 대리석 외관.

사랑스러운 펫이 뛰노는 넓은 정원.

우드덱에는 바비큐를 즐길 수 있는 공간도 완비.

가족이 모이는 거실은 전면 플로어링.

어머니도 만족할 시스템키친도 완비되어 있습니다.

전장으로 향하는 아버지를 위한 사용하기 편리한 무기고가 준비되어 있고.

피로를 달래는 서재에는 고급스러운 느낌의 마호가니 데스크.

편안한 잠을 약속하는 잔잔한 침실의 창문을 열면 그야말로 오션 뷰.

집에 머물면서 바다로 저물어가는 석양을 즐길 수 있는 완벽한 입지.

누구나 부러워할 우리 집— 으로 보입니다.

그럼 이 집이 갖고 있는 문제란?

"딱히 문제 같은 건 전혀 없지 않아?"

"음. 이상적이다."

그렇습니다. 이 집은— 전혀 재미없는, 극히 평범한 집에 지나지 않는 것입니다.

어디에나 있는 평범한 집. 그런 것에 무슨 매력이 있다는 걸까요.

가족은 누구나 그런 마음을 가졌습니다.

"갖지 않았어!"

"우리는 그 상태가 좋았단 말이야!"

그리하여 리폼이 시작되었습니다.

그 결과는—.

—이게 어찌 된 일일까요.

그곳에는 장인의 손에 의해 커다란 구멍이 뚫린 우리 집이!

"장인은 장인이지만, 그건 다른 장인이잖아?![#9]"

"녹색의, 녹색의 괴물이 슈웃 하고! 슈웃 하고 말하는 녀석이에요!"

시끄럽습니다.

아무런 특색이 없었던 집의 외관.

그것이 거대한 폭발의 흔적으로 채색되어, 내부의 모든 것이 보이는 새로운 디자인으로.

#9 다른 장인이잖아 게임 마인크래프트의 몹인 크리퍼. 자폭해서 상당한 피해를 준다. 일본에서는 장인이라는 별명으로도 불린다

장인의 장난기가 넘쳐나는 참신한 집으로 대변신!

통풍이 좋아진 집이지만, 그럼에도 지워지지 않는 화약 냄새가 감돌고 있습니다.

어디에 있더라도 전장을 잊지 않도록, 그런 장인의 세심한 배려입니다.

"잊고 싶어!"

"이 얼마나 편안하지 않은 공간인가……."

누구나 동경하는 사치스러운 소재를 듬뿍 사용해놓고, 그 모든 것을 무로 돌리는 놀라운 발상.

이렇게나 웃음이 나오는 집이었지만, 어떻게든 예산에 맞출 수 있었습니다.

"원래는 이렇게 돈이 들 예정이 아니었는데……."

집주인 아코 양의 얼굴을 봐주십시오.

이 쓴웃음은 잃어버린 따스한 생활을 아쉬워하는 마음으로 가득한 것 같습니다.

"우우우우."

"울지 마, 울지 마 아코."

이렇게나 멋진 건축을 진행한 것이 이 장인.

여러분도 자신의 꿈의 집을 목표로, 장인에게 건축을 부탁해보면 어떨까요?

상담은 언제라도 길드 앨리 캣츠에서!

"크리퍼! 크리퍼가 있어!"

"이 이상의 파괴는 싫어요!"

이렇게 되었다.

††† ††† †††

그리고 발표 시간이 찾아왔다.

우리는 레전더리 에이지 공식 페이지를 열고 F5(새로 고침) 대기 상태로 기다리고 있었다.

"드디어 발표 시간이군."

"나의 컴퓨터, 나의 10만 엔."

"진정해, 네 거 아니야. 우리 거야."

"슈의 컴퓨터를 사고 남은 돈으로 파티라도 하죠."

"나 10만 엔으로 아슬아슬하게 살 수 있는 최고 스펙으로 견적 다 맞춰놨는데."

"야야, 욕심이 너무 지나치잖아."

"당연히 농담이지. 네 몫도 필요 없을 정도야."

그렇게까지 참지 않아도 돼. 좀 더 좋은 걸 사라고.

"저기 저기, 아카네. 그보다 10만 엔 생기면 그 가방 살 수 있지 않아?"

"그런 낭비는 안 해."

"뭐어어?! 괜찮은 가방은 평생 쓰는데? 컴퓨터는 몇 년마다 다시 사야 하잖아? 아무리 봐도 이쪽이 더 낭비 안 하는 사용법인데?"

왁자지껄 떠들면서 하우징 콘테스트의 결과 페이지가 갱신되는 걸 기다렸다.

꽤 좋은 예감이 들었다. 솔직히 두근두근하다.

"그치만 그렇게 해도 괜찮았던 걸까? 대폭발이었는데?"

"그게 말이죠. 이거 한번 보시죠."

자신작이 폭파당했기 때문인지 불안해 보이는 아키야마에게 코멘트 페이지를 보여줬다.

"코멘트에 의하면……."

『플로어링이라니 어떻게 한 거야? 굉장한데.』

『베란다 좋네. 예쁘다.』

『이렇게 돈 들여놓고 마지막은 폭파냐ㅋㅋㅋ』

『대체 무슨 짓을 한 걸까요.』

『장인의 소행ㅋㅋㅋ』

의외로 좋은 느낌이었다.

거대 길드라면 이런 짓은 절대로 하지 않으니까.

이것도 평범한 집에서 저질렀기 때문에 분위기가 요상해져서 맞물린 것이다.

나는 이 집이라면 승부할 수 있다고 예상했다. 가능할 것이다. 왜냐하면 모두 함께 노력했으니까.

발표 예정 시각은 오후 여섯 시 반. 평소였다면 딱 부활동이 끝날 시간이다.

전원이 시계를 바라보는 가운데, 딩동댕동 종소리가 울렸다.

"와라!"

"갑니다!"

로그인 게임을 하는 기분으로 모두 일제히 F5를 눌렀다.

무거워, 페이지가 무거워!

하지만 이거 갱신되어 있는데!

"좋았어, 들어갔다! 결과 페이지까지 갔다!"

"마스터 나이스! 저기, 어때? 어떻게 됐어?"

무거운 공식 페이지를 빠져나간 마스터가 말했다.

"대상은— 큭."

아…….

그 작은 한숨에 대답을 알고 말았다.

"응모자, 길드 별 셋 레스토러너즈의, 리스토란테 복슬복슬……."

"아아아아아, 졌다아아아아아아."

"역시 무리였나."

"어떤 집인가요?"

"고급 레스토랑이 완전 재현되어 있군. 이거 재미있는걸."

으그극. 대형 길드가 재미있는 저택을 만들었다면 그야 못 이기지.

우리도 좋은 상황까지는 갔다고 생각했는데 말이지.

아키야마가 발견한 플로어링 집, 우리가 하고 나서 엄청

유행했다고?

"아아…… 결국 아르바이트를 해야……."

"열심히 해주세요."

"네가 돌아오는 걸 계속 기다릴 테니까."

"우와앙, 일하고 싶지 않소이다!"

잘 있거라, 슈바인. 너를 잊지 않으마.

우리는 그렇게 포기하려 했지만, 마스터는 포기하지 않았는지 페이지를 쭉쭉 스크롤하면서 외쳤다.

"잠깐, 이름이 있다!"

"정말? 어디어디?"

"응모자 아코의, 니시무라 댁—."

이 집 이름 진짜 어떻게 좀 안 되나?

장인 작전에서는 잘 먹혔지만, 역시 부끄러운데?

그래서 그 니시무라 댁이 획득한 상은—.

"협력 기업 특별상 중 하나…… 도스컴 공방상이군."

"상품은?! 상품은 뭔데?!"

"로드스톤의 1등지에 모델하우스 대우로 이 집을 세울 수 있는 권리……라고 하는군."

"필~요~없~어!"

슈바인이 우와아아앙 하고 울고 말았다. 미안, 우리 힘이 부족했어.

새로운 아지트를 손에 넣는다는 당초의 목적은 클리어했

지만 컴백 슈바인이라는 새로운 목표는 달성하지 못한 건가.

“아니, 상품이 선택식으로 되어 있다. 모델하우스나, 또는…… 음, 이건.”

“오! ……아, 이건, 으음.”

“모델하우스, 또는 레전더리 에이지 콜라보레이션 컴퓨터를 증정…… 이라고 적혀 있는데요.”

“컴퓨터?! 컴퓨터 받을 수 있어?!”

죽어 있던 슈바인이 벌떡 일어났다.

“정말?! 거짓말 아니지?! 좋다 말았다 식이면 죽여버릴 거야?!”

“사실이지만…… 이거 좀 봐봐.”

내 어깨 너머를 들여다본 세가와가 천천히 스펙을 읽었다.

“OS는 윈도 비스타, 듀얼 코어2에 메모리가 1G…….”

신품으로 마련되어 있다는 것이 반대로 깜짝 놀랄 정도로 낮은 성능이었다.

“아마 LA가 막 시작되었을 때 준비됐던 콜라보 PC겠지.”

“창고에서 먼지를 뒤집어쓰고 있던 걸 처리하자는 거구만.”

“컴퓨터는 버리는 데도 돈이 드니까요.”

이제 와서 부품만 떼기도 뭐하니까.

“아무리 그래도 이걸 받을 수는 없잖아. 2, 3만엔만 있어도 더 좋은 거 사는데.”

나는 그렇게 말했지만, 세가와는 눈을 화악 부릅떴다.

"이거, 내, 내—."

크게 숨을 삼키고는—.

"—샐러맨더보다, 훨씬 빨라!!"

"이게 예전 컴퓨터보다 빠른 거냐?!"

너 대체 어떤 컴퓨터를 썼던 거야!

아니 봤지만, 봤지만 말이지, 연기가 내뿜었는 걸! 엄청 낡기도 했고!

"제 컴퓨터보다 훨씬 안 좋아 보이는데요……."

"잘 모르겠어."

아코는 쓴웃음을 지었고, 아키야마는 잘 모르는 모양새다.

"이거 갖고 싶어, 갖고 싶어…… 갖고 싶지만…… 우우……."

말할 만큼 말하고는 풀썩 어깨를 떨궜다.

"역시 이건 안 되겠어."

"컴퓨터 갖고 싶은 거 아니었어?"

"하지만…… 이거 보라고."

세가와는 기념 모델하우스 소개 페이지를 가리켰다.

"1등지 L사이즈 땅에 이 대리석 집을 그대로 지을 수 있는 거란 말이야. 중규모 가구도 포함되면 분명 20G는 될 거야."

그리고는 그럼 말이야, 라고 한숨을 내쉬었다.

"원래대로라면 게임 세계에서 열심히 하는 것보다 현실에서 일하는 편이 효율이 좋지만…… 20G에 상당하는 집을 받을 수 있다면 아무리 생각해도 내가 일해서 컴퓨터를 사는 편이 싸게 먹히잖아."

"그건 확실히……."

아르바이트를 뛰면 시급 20M이라고 치자.

그 시급으로 20G를 모으려고 하면 1000시간은 걸린다.

그렇게 일하면 좀 더 좋은 컴퓨터를 살 수 있을 것이다.

"그런 좋은 곳에 집이 있으면 모두 함께 게임을 좀 더 즐길 수 있잖아?"

"장소는, 응, 엄청 편리하네."

맵을 보던 아키야마가 말했다.

확실히 수도 안에서도 꽤 좋은 곳이 마련되어 있었다.

여기에 집이 있으면 사냥도 퀘스트도 이벤트도 아이템 구입도 전부 근처에서 할 수 있다.

"근처에 있는 건 폐인 길드의 집뿐이니까 이웃끼리 친하게 진해면 나중에 편하겠지."

"루시안이랑 제 집을 모두에게 자랑할 수 있을 것 같네요."

말만 들으면 좋은 것들뿐이다.

이렇게 달리 손에 넣을 수 없는 요소는 게임을 계속하는 한 오래도록 커다란 재산이 된다.

"컴퓨터는 자력으로 어떻게든 할게. 집을 받자."

슈바인은 그렇게 말했지만. 멋대로 그렇게 결심했지만.

우리가 납득할지는 그것과 다른 문제다.

"……그치."

"그렇죠?"

"……그러네."

"음."

넷이서 시선을 교환했다.

눈과 눈으로 대화할 필요도 없이, 마음은 하나다.

"그럼 결론을 내리지."

길드 마스터로서 마스터가 결정을 내렸다.

"상품은 이— 애석한 스펙을 가진 컴퓨터를 받는 걸로 괜찮겠지?"

"오케이."

"네~에."

"아카네 주소로 받아야 하는 거지?"

"그래, 그래야겠지."

"……뭐?"

세가와는 우리들을 바보를 보는 눈으로 바라봤다.

"왜 그렇게 되는데? 필요 없다고 했잖아."

"다시 살 거라면 그것도 괜찮겠지. 모을 때까지 시간을 번다는 셈치고 쓰면 된다."

"시간을 번다니…… 그치만."

"걱정할 필요 없어. 이런 협찬 기업의 특전은 운영진이 아니라 기업에서 보내는 거니까 평범한 컴퓨터를 사는 것과 마찬가지로 금방 온다고."

"그걸 걱정하는 게 아니거든!"

"괜찮지 않아? 아카네. 예전 샐러맨더보다도 센 거잖아?"

"세다니…… 확실히 빠르긴 하지만! 그래도 모처럼 근사한 집이 됐는데, 지금 있는 곳이라면 가끔씩밖에 쓸 수 없단 말이야. 수도에 지으면 언제나 쓸 수 있잖아. 게다가 운영진이 확보한 1등지라고! 아직 일반 플레이어에게는 개방되지 않았단 말이야! 이 기회를 놓치면 우리는 두 번 다시 살 수 없다니까!"

"슈."

아코가 세가와의 양손을 꼬옥 잡았다.

"많은 돈보다도, 두 번 다시 손에 넣을 수 없는 비싼 토지보다도, 너무나도 편리한 곳에 있는 집보다도— 내일도 슈랑 놀 수 있는 게 훨씬 소중하잖아요."

"아코…… 너희들……."

이쪽을 보는 슈바인에게 고개를 끄덕여주었다.

"돈 문제가 아니야. 물건보다는 추억이라고."

“아카네가 있는 세계, 프라이슬리스(Priceless).”

아키야마가 기쁜 듯이 말했다.

“돈으로 살 수 없는 가치가 있는 거다.”

마스터가 말을 잇고.

“살 수 있는 건 게임 머니로!”

아코가 마무리했다.

이렇게 마무리해도 되나.

처음 말을 꺼낸 내가 잘못한 것 같으니까 그건 지적하지 말자.

“응…… 응.”

세가와는 우물쭈물, 자신답지 않게 쑥스러워하면서.

“고마워.”

울면서 웃는 것 같은 얼굴로 그렇게 말했다.

“시간 버는 식으로 쓰지 않을게! 새로운 아이, 소중히 다룰 테니까! 이름은…… 어어, 으음…… 좋아! 바하무트로 할게!”

“…………”

“…………”

“어, 어라? 안 돼?”

말없이 쏟아지는 뜨뜻미지근한 시선에 세가와가 뺨을 화악 붉혔다.

“이상해? 괜찮지? 평범하지?”

"그래그래. 괜찮아."

너다우니까.

세가와네 집에 샐러맨더의 후임 PC, 바하무트가 도착한 건 그로부터 사흘 후의 일이었다.

그리고 이건 여담이지만.

컴퓨터가 도착하고 며칠 후, 나는 엄청난 것을 깨닫고 말았다.

"저기 말이야, 세가와. 엄청 뒤늦은 이야기인데 말이지."

"응? 뭔데?"

부실에서 워 머신을 두드리던 세가와에게 나는 조심조심 말했다.

"나, 서브 PC 갖고 있어."

"…………."

말없이, 세가와의 손이 멈췄다.

천천히, 천천히 돌아본 트윈테일은 무시무시한 표정으로 나를 노려보기 시작했다.

오, 오오오, 무서워, 무섭다고.

"너, 지금 뭐라고 했어?"

"그게 아니야. 오해하지 마! 내 컴퓨터가 아니야!"

서브로 쓰고 있을 뿐이지 내 거는 아니라고!

"실은 말이지. 전에 마스터한테 빌린 게이밍 노트북, 그냥 갖고 있어도 된다고 해서 계속 쓰고 있었거든."

그거야 그거. 아코가 방에 틀어박혔을 때 빌린 녀석.

지금까지 계속 갖고 있었어.

"우리 집에 있어요. 루시안이 왔을 때를 대비해서."

"이야~, 저번 일요일에 깜짝 놀랐지 뭐야. 아코네 집에서 같이 게임을 하다가 불현듯 알아챘거든."

"그러고 보니 여기 노트북이 있네요, 라면서요."

"그것도 우리 것이 아니고 말이지."

"에헤헤헤헤."

하하하하하, 하고 웃고 있는데 덜컹 의자가 쓰러지는 소리가 들렸다.

"너희드으으으으으으으을."

"우와아아앗, 기다려. 헤드록은 그만둬! 아프다고!"

"싸움 거는 거면 부르는 대로 값을 받아주겠어!"

"돈 없으니까 그만하자, 아카네!"

달려드는 세가와에게서 도망쳐서 필사적으로 양손을 흔들었다.

진정해, 진정해!

우리도 잊어버렸다고. 일부러 그런 게 아니야!

"그리고 봐봐, 결국 문제 해결은 안 되잖아! 메인 PC는 필요하다고!"

타인의 컴퓨터에 이것저것 소프트를 깔 수는 없잖아!

마음대로 쓸 수 있는 자기 컴퓨터는 있어야 한다고!

"나는 LA밖에 하지 않았으니까 다른 건 전혀 건드리지 않았지만, 집에서 쓴다면 그럴 수도 없잖아. 역시 자기 것이 필요하다고!"

"……그건 그러네. 빌린 컴퓨터로는 인터넷 한는 것도 조금 미안하니까. 이상한 소프트 깔리면 아무리 사과해도 부족하고."

그러나 세가와는 하지만, 이라며 조그맣게 한숨을 내쉬고는―.

"……조금 더 빨리 말해줬으면 했어."

"정말로 죄송합니다."

그것이 일상이 되면 좀처럼 중요한 것을 깨닫지 못한다는 이야기다.

실패하는 경우도 종종 있다는 이야기다.

하지만 어찌 됐든―.

무사히 후임 PC도 정해졌고, 예전 같은 게임 라이프가 돌아왔다.

집에서 플레이하는 슈바인의 움직임이 예전보다 좋아져서 사냥이 조금 편해졌다.

에필로그

아코 프론티어

And you thought there is Never a girl online?

컴퓨터의 전원을 켜고 잠시 뒤, 익숙한 OS 기동 화면이 표시되는 걸 여유롭게 바라봤다.

조금 기다리자 평소대로 바탕 화면이 표시되었지만 한동안 아무것도 조작하지 않고 컴퓨터가 안정되기를 천천히 기다렸다.

슬슬 됐나 싶은 타이밍에 레전더리 에이지의 아이콘을 클릭하자, 기대한 속도로 클라이언트가 기동됐다.

세가와의 컴퓨터가 망가진 건 남 일인 것만은 아니라서, 나도 자신의 컴퓨터에 조금 신경을 써봤지만 현재는 아무 문제도 없는 모양이었다.

언제나처럼 ID와 비밀번호를 입력해서 로그인.

캐릭터 중에서 루시안을 고르고 게임 안으로 진입했다.

내가 출현한 곳은 근사하게 수리된 『니시무라 댁』— 이 아니라 지금껏 쓰던 찻집이었다.

◆아코 : 루시안. 안녕하세요.

먼저 로그인한 아코의 길드 채팅이 날아왔다.

◆루시안 : 오냐. 아까까지 만나고 있었지만.

◆아코 : 5분 만나지 않은 것만으로도 오랜만이라고요.

◆루시안 : 그래선 욕실에도 못 들어가잖아.

◆아코 : 같이 들어가면 되잖아요.

잠시도 떨어지지 않는 생활은 반대로 싫어질 것 같아서 무서운데.

아코에게 미움받고 싶지 않고, 미워하고 싶지도 않지만…….

◆애플리코트 : 늦었구나. 루시안.

◆루시안 : 저녁밥이 전골 요리라서. 마지막 우동까지 먹으니까 시간이 걸리더라고.

◆슈바인 : 핫, 그런 이유로 지각이라니, 온라인 게임 얕보냐?ㅋ

다른 멤버도 가게 안에서 기다리고 있었다.

내가 마지막인가, 조금 미안했다.

◆루시안 : 말은 그렇게 하지만. 너 마지막 우동을 안 먹는 쪽이냐?

◆슈바인 : 든든하게 먹는 게 당연하지. 너 바보야?

그 분노가 불합리하다.

◆루시안 : 그런데 오늘은 어쩔 거야?

◆애플리코트 : 슬슬 세테의 레벨을 단번에 올리고 싶다고 생각해서 말이다. 레이저레이드 성 침입 퀘스트를 가보려고 한다만.

◆루시안 : 괜찮네. 세테 씨 갈 수 있겠어?

◆세테 : 나는 카레였어.

◆슈바인 : 채팅 느려ㅋ

아키야마는 아직 완벽하게 익숙해지진 않았으니까. 화제가 시시각각 바뀌니 어쩔 수 없다.

◆애플리코트 : 그럼 각자 준비한 뒤에 집합이다.

◆슈바인 : 나는 끝났어. 40초 안에 준비하라고!

◆루시안 : 3분 정도 기다려줘.

농담 따먹기를 하면서 준비를 시작했다.

레이저레이드 성은 세테 씨가 아슬아슬하게 싸울 수 있는 레벨이지만, 퀘스트도 제대로 받는다면 경험치를 꽤 얻을 수 있다. 회복약은 많이 들고 갈까.

그런 생각을 하며 준비를 진행하던 중—.

◆아코 : 저기 저기, 잠깐만 기다려주세요!

길드 채팅으로 아코가 뭔가 말을 꺼내고 있었다.

◆아코 : 집합이라니, 다들 어디 있는데요? 아무도 안 왔는데요.

◆슈바인 : 전부 제대로 모였는데? 오히려 아코만 없어ㅋ

◆아코 : 저는 제대로 왔다고요, 다들 없잖아요!

아니, 아코는 없는데? 길드 채팅에는 있지만 적어도 보이는 범위에서는— 이 가게 안에는 없다.

◆루시안 : 있다니, 아코 넌 대체 어디 있는데?

물어보자, 아코는 당연한 듯이 대답했다.

◆아코 : 당연한 거 아닌가요? 우리 집, 니시무라 댁이에요!

아…… 거기 있는 겁니까…….

◆애플리코트 : 그, 그렇군.

◆루시안 : 우리는 평소 모이는 가게에서 기다리고 있거든.

◆슈바인 : 빨리 오라고ㅋ

◆세테 : 다들 여기 있어.

◆아코 : 에에에에엑?! 모처럼 지은 거니까 집에서 모이자고요!

아마 당황하고 있겠지. 그런 분위기가 채팅에서 전해졌다.

아코의 마음은 잘 안다.

예쁜 집이고, 경치도 좋고, 사는 환경도 최고고. 하지만, 하지만 말이지.

◆루시안 : 미안 아코…… 역시 거기는, 멀어.

◆아코 : 모처럼 열심히 노력해서 지은 건데! 저랑 루시안의 집인데!

◆슈바인 : 별수 없잖아. 가는 데 30분은 걸린다고.

◆아코 : 우우우, 어째서 이렇게 된 건가요! 어째서 이렇게 된 건가요!

◆애플리코트 : 미안하구나, 아코. 이번에는…….

◆세테 : 포기하지 그래?

너무해요! 라고 울면서 아코는 필사적으로 가게까지 돌아왔다.

니시무라라는 일본풍 문패가 붙은, 전혀 판타지 같지 않은 단독 주택.

꽤나 견실한 노력의 결과, 아코가 모든 권리를 갖고 지은 집.

문패 아래에는 부부라는 듯이 — 부부 맞지만 — 『루시안』과 『아코』라는 두 이름이 나란히 놓인, 그야말로 사랑의 둥지.

그러나 아쉽게도 그곳은 거의 사용되지 않았고, 지금도 우리는 마을 한구석을 아지트로 쓰고 있었다.

◆아코 : 우우, 언젠가는 모두가 모일 수 있는 집도 지어요, 루시안!

◆루시안 : 그래그래. 성이든 저택이든 공주님 뜻대로 하시죠.

◆아코 : 성도 저택도 필요 없어요! 루시안이랑 같은 집이기만 하면요.

노력한 것치고는 결국 아무것도 변하지 않았다.

그런 건 온라인 게임에서는 자주 있는 일이라 아무도 상관하지 않았다.

하지만 나에겐 한 가지 정도 생각이 바뀐 것이 있었다.

만약 장래— 먼 장래에, 아코랑 같이 살게 된다면, 내가 꽤나 큰일을 겪을 것 같은 기분은 들지만—.

◆아코 : 게다가 저는 공주님이 아니라, 신부라고요.

◆루시안 : 그래그래. 빨리 오라고. 내 신부가 오지 않으면

시작할 수 없으니까.

◆아코 : 바로 갈 테니까 잠시만 기다려주세요!

의외로 둘이서라도 잘 해나갈 수 있을 것 같다. 지금은 그런 생각이 들었다.

■작가 후기

대륙 채팅으로 진입했습니다.

오랜만입니다. 어쩌면 어쩌면, 처음 뵙는 걸지도 모릅니다.

키네코 시바이라고 합니다.

『온라인 게임의 신부는 여자아이가 아니라고 생각한 거야?』도 이번 권으로 Lv.5가 되었습니다.

『다음 권 나오긴 해?』라고 걱정해주셨던 이 시리즈도 지금에 와서는 『다음 권은 언제 나와?』라는 소리를 듣게 되었습니다. 독자 여러분께서 친근하게 여겨주셔서 정말 다행입니다.

다음 책을 낼 수 있을지 언제나 걱정하는 것은 사실 작가 본인이긴 하지만요.

그런 걱정이 현실이 되지 않도록, 느긋하게 온라인 게임에서 놀고 있는 것처럼 보이더라도 실은 재미있는 소재를 필사적으로 수집하고 있습니다.

재미있는 일이 있을 때마다 어째서인지 메모를 들고 있는 이상한 플레이어가 있다면 저일지도 모릅니다만, 그것을 보셔도 못 본 척 해주신다면 감사하겠습니다.

그리고 이건 사담입니다만, 이미 익숙해진 『옛날에 게임 속에서 결혼했지만 여자랑 바람이 나서 이혼한 여캐』의 이야기입니다.

그녀가 바람을 피운 상대와는 한 번 얼굴을 맞댄 적이 있었습니다.

그때는 모험용 장비가 아니라 취미 장비를 입고 있었습니다만, 그녀는 저의 캐릭터를 보자마자 코웃음 치듯이 『약해 보여ㅋ』라고 내뱉었습니다.

그로부터 한동안 저는 모험용 장비를 벗지 않았습니다.

대륙 채팅에서 벗어났습니다.

대륙 이동한 시점에서 감사와 사죄를.

일러스트의 Hisasi 씨. 바쁘신 가운데 이것저것 부탁드린 일러스트를 완벽하게 완성해주셔서 정말로 감사합니다. 고맙습니다.

이번에는 평소보다 더 폐를 끼치게 된 담당님. 언제나 언제나 정말 감사드립니다. 그런 가운데에서도 제가 게임을 그만두지 않는 건 일을 위해서이므로 부디 오해하지 마시길 부탁드립니다. 거짓말이 아닙니다. 진짜입니다.

그리고 이 책을 손에 들어주신 여러분. 거듭거듭, 정말로 감사드립니다.

그럼 또 인연이 있다면 뵙도록 하죠.

키네코 시바이였습니다.

■역자 후기

안녕하세요. 불초 역자입니다.

이번 테마는 하우징 시스템이었습니다. 딱히 온라인만이 아니라 자유도 높은 대작 RPG에도 종종 들어가는 시스템이죠. 집을 멋지게 꾸미고, 밭을 일구며 제작 아이템을 마련하기도 하고, 게임에 따라 아이들도 입양할 수 있는 그런 시스템입니다. 저 개인적으로는 RPG에서 모험 말고는 딱히 흥미가 없기 때문에 많이 이용하지는 않았습니다. 살 기회가 있어도 꾸미지 않고 그냥 창고 대용으로만 쓰는 게 일상다반사……. 그래도 특정 수요가 있는 건 분명하죠. 이번에 일행들이 기를 쓰고 사려고 하던 길드 하우스가 대표적이겠고요. 돈을 모으기 위해 좌충우돌하는 일행들의 모습이 재미있었습니다. 역시 도박은 안 된다는 교훈도 주고요(웃음). 역시 닥사가 최고입니다.

세가와의 컴퓨터 이야기도 빼놓을 수 없겠네요. 요즘에는 컴이 망가지면 정말 대책 없죠. 거의 아무것도 못 한다고 봐도 무방하니까요. 제 집에도 벌써 5년이 넘은 낡은 PC가

한 대 돌아가고 있는데, 부팅하고 제대로 작동하기까지 5분 넘게 걸리고 웹사이트 접속하는 것만으로도 버벅대는 것이…… 저야 전용 PC를 쓰니 상관없는데 가족들에게서 불평의 목소리가 높아지고 있는지라 슬슬 바꿔야 하나 싶기도 합니다. 저러다 고장 나면 대책도 없으니까요.

그건 그렇고, 얼마 전부터 MMORPG를 새로 시작했습니다. 모 초유명 RPG의 14번째 작품이라고 하면 다들 아시겠죠? 예전부터 하던 걸 이어서 하는 게 아니라 완전히 새로운 MMORPG를 맨땅에서 시작하는 건 꽤 오랜만이라 그런지 절로 흥이 나더군요. 다들 지루하다고 하던 초반 15렙까지도 즐겁더라고요. 짬짬이 하는지라 렙업은 느리고, 여전히 솔플이라 길드에도 들지 않았습니다만 그런대로 재미나게 하는 중입니다. 던전에서 어그로 잡는 데 버거워하는 어리바리한 탱커가 보이면 저일지도 모르니 욕은 조금만 참아주시고 따스하게 대해주신다면 감사하겠습니다.

그럼 이쯤하고, 다음 권에서 뵙겠습니다. 슬슬 환절기라서 그런지 고질적인 비염이 또 재발해서 고생 중인데, 독자 여러분들도 건강 조심하시길 바랍니다.

특별강좌 noob 아코와 루시안의 온라인 게임!

아코 : 이러쿵저러쿵하면서도 의외로 이어지는 이 코너, 제3회입니다!

루시안 : 알고 있으면 손해는 안 보니까.

아코 : 그다지 이득도 없다고 생각해요……

『돈의 단위 k M G』

아코 : 돈의 단위는 k나 M이나 G죠?

루시안 : 맞아. 온라인 게임에서는 가장 자주 쓰이는 돈 세는 법이야. 알고 있을 거라 생각하지만 k는 킬로, 킬로미터 같은 거랑 똑같이 천 단위라는 의미야. 그러니까 1k는 천 엔이라는 게 되지.

아코 : 거기서 M, G 순으로 올라가는 거네요.

루시안 : M은 메가, G는 기가고, 마찬가지로 천 단위씩 올라가. 평소에는 1만 엔이 가장 알기 쉬운 기준인데 온라인 게임에서는 10k라고 부르니까 알기 어려울지도 몰라.

아코 : 저는 단위가 올라갈수록 영문을 모르겠어요. 1G는 당연한 것처럼 거래하는데, 일본 엔으로 말하면 1억 엔이죠?

루시안 : 아무리 가상 화폐라도 무시무시하긴 하지. LA의 인플레는 그나마 나은 편이지만, 그래도 좋은 레어는 G단위로 거래되니까.

아코 : 그런데 어째서 k는 소문자고 M이나 G는 대문자인가요?

루시안 : ……그럼, 다음.

아코 : 이유는요?!

『인벤토리, 창고』

읽기 어렵네요. 이벤토리라고 생각했었어요

루시안 : 나도 옛날에는 잘못 알고 있었어. 인벤토리라는 건 요컨대 캐릭터의 아이템란을 말하는데.

아코 : 어째서 그런 이름을 쓰는 건가요? 도구라고 쓰면 되잖아요.

루시안 : 영어로 목록이나 일람표라는 의미가 있다고 하더라. 아이템이 일람으로 표기되니까, 의미로는 딱 맞지.

아코 : 역시 저는 아이템이라고 알기 쉽게 써줬으면 좋겠어요.

루시안 : 그 인벤토리 말인데, 용량에는 한계가 있어. 한계가 오면 창고 NPC에게 맡길 수 있지만, 창고도 무한하게 들어가는 건 아니야.

아코 : 정신이 들면 어느새 꽉 차 있더라고요.

루시안 : 그래서 레어 아이템은 엄청 많지만 쓸 곳이 없는 쓰레기 아이템은 전부 처리 하는 거야. 그게 업데이트로 갑자기 필요해지면 곤란해지지만…….

아코 : 저는 전부 남겨둬요!

루시안 : 이번에는 야단칠 수 없겠네…….

『생산 스킬, 크래프팅』

아코 : 생산 스킬은 약간 올려놨어요. 옷이라면 조금 만들 수 있어요.

루시안 : 오, 대단하네. 그런 식으로 플레이어가 직접 손으로 옷을 만든다든가, 방어구를 만든다든가, 무기를 만든다든가, 그런 걸 생산 스킬, 크래프팅이라고 부르는 거야.

아코 : 여러 가지를 만들 수 있죠?

루시안 : LA에서는 이번에 쓴 가구는 물론이고 요리, 포션 같은 것도 만들 수 있어. 고랭크 스킬로 생산한 장비는 상점에서 파는 것보다 훨씬 강하니까. 품질이 좋으면 고가로 팔 수 있지.

아코 : 그럼 모두들 생산 장비를 사용하고 있는건가요?

루시안 : 그렇다곤 할 수 없지. 이러니저리니해도 최종장비는 던전에서 나오는 레어 아이템이나 보스 드롭 아이템이니까. 생산으로 최장 장비를 만들 수 있다는 것도 문제가 되고 말이야.

아코 : 그러고 보니 루시안은 생산 스킬을 올리지 않는 건가요?

루시안 : 그럼 이번에는 여기까지! 나머지는 다음 시간에!

아코 : 아, 아무것도 안 올린 건가요?!

온라인 게임의 신부는 여자아이가 아니라고 생각한 거야? 5

1판 1쇄 발행 2015년 12월 10일
1판 2쇄 발행 2016년 3월 30일

지은이_ Kineko Shibai
일러스트_ Hisasi
옮긴이_ 이진주
일본판 오리지널 디자인_ AFTERGROW

발행인_ 신현호
편집부장_ 김은주
편집진행_ 최은진 · 김기준 · 김승신 · 원현선
편집디자인_ 양우연
국제업무_ 김현희
관리 · 영업_ 김민원 · 조인희

펴낸곳_ (주)디앤씨미디어
등록_ 2002년 4월 25일 제20-260호
주소_ 서울시 구로구 디지털로 26길 111 JnK디지털타워 503호
전화_ 02-333-2513(대표)
팩시밀리_ 02-333-2514
이메일_ lnovel.admin@gmail.com
L노벨 공식 카페_ http://cafe.naver.com/lnovel11

원제 netoge no yome wa onnanoko zya nai to omotta?

ISBN 979-11-86906-14-9 04830
ISBN 978-89-267-9843-0 (세트)

값 6,800원